日本が知らない
ウクライナ
歴史からひもとくアイデンティティ

ユリヤ・ジャブコ
Yuliya Dzyabko

大学教育出版

Батькам
両親に捧ぐ

まえがき

初めて日本に来たのは、2006 年 9 月、学期型の日本語学習プログラムでした。それが私にとって初めての海外渡航でした。そして、日本の人たちがウクライナのことをほとんど知らないということを知ったのも、この時が初めてでした。

私が「ウクライナから来ました」と言うと、日本の友人たちからは「どこの国ですか？」「ロシアから来たんでしょう」と尋ねられました。マトリョーシカ人形・ロシア文学の古典・クラシック音楽など、独立後のウクライナにおいて私が教えられてこなかったものの、なぜか同時に私の「常識」として指摘されたものを、多くの日本人が口にしました。

また、多くの日本人は、私がロシア語ではなくウクライナ語を母国語としていることに驚きました。

その一方で、ロシア語はロシア帝国とソ連の一部であったウクライナの複雑な歴史におけるいわば「遺産」のようなものであり、独立後も幼少期から青年期にかけては常にロシア語のほうがウクライナ語より優遇されていたため、ロシア語は私にとって外国語でありながら、実際には勉強することもなく、ほぼ完璧にロシア語を理解しているという私の説明にも驚いていました。

長期にわたり、ウクライナの歴史・文学・芸術はロシアのものとして知られたか、それともまったく知られていないかのどちらかでした。

著名で多くのウクライナ人に好かれているウクライナの現代詩人・作家であるリーナ・コステンコ[1]は、フランスのレジオン・ドヌール勲章を、2022 年に受賞

注 1) リーナ・コステンコ（Ліна Костенко）（1930 年生まれ）は 1960 年代以降活動しているウクライナ詩人・作家・ソ連反体制派。コステンコの詩は日本で原田義也により訳されている（リーナ・コステンコについて「現代のマドンナは何を祈るか－リーナ・コステンコの詩的世界－」『明治大学国際日本学研究』10（1）号 , 2017、『ウクライナを知るための 65 章』2018 などを参照）。

した際、「この賞は大きな驚きでした。だって私は世界の知られざるウクライナ文学に属しているからです」と強調しました。

ウクライナは、つい最近まで日本人にとってあまりよく知られていない国でした。2021年初頭、ウクライナ研究所は「海外におけるウクライナに対する認識：日本」という分析レポートを発表しました。このレポートは、日本におけるウクライナやウクライナ文化に対する考え方、文化外交の分野におけるウクライナと日本の協力の可能性を明らかにすることを目的としたものでした。調査の結果、ウクライナの歴史や文化に対する日本人の認知度は極めて低いことが明らかになりました。回答者の中には、文化・教育・科学機関、地方・中央官庁、外交団、国際機関などの人たちが含まれており、多くの一般的な日本人は、世界地図におけるウクライナの位置さえ把握していませんでした。より詳しい日本人は、ウクライナを主に旧ソ連と結びつけ、2021年になっても、ウクライナの歴史や文化をロシアの歴史や文化の一部と認識していました。ウクライナ文化の特徴や人物について詳しく説明できるのは、ごく一部のウクライナの専門家や文化的エリートの人たちだけでした。

ウクライナ研究所の調査によると、このような意識の低さの主な原因は、日本文学におけるウクライナのイメージが、長い間、ソ連・ロシアのプリズムを通してのみ形成されてきたため、情報が限られていることであるとわかっています。ウクライナの独自の歴史、そしてウクライナと日本の関係は、1991年以前はソ連の文脈の外には存在しなかったとされています。その結果、現代ウクライナに対する認識は、ソ連の伝統の精神、つまりロシアの影を通して存在し続け、そして何よりも、現代ロシアの情報リソースを媒介にして、ロシアで形成されたイデオロギーや社会的価値観の立場から解釈されることが多くありました。それはもちろん、日本におけるウクライナの誤ったイメージの形成につながっています。

初めて日本に来た2006年以降、日本で私は「ウクライナはロシアではない」としばしば説明しており、ウクライナに帰国し2012年に日本に在住し始めるまでの間も、この日本におけるウクライナに対する歪んだイメージの原因についてずっと考えさせられ続けていました。そのことが私の国民的アイデンティティや「国民単位での自分」を理解しようとする気持ちに確実に影響を与えました。

ウクライナが日本ではあまり知られておらず、誤解されている国であることを実感した私は、2019年に「在日ウクライナ人の言語とアイデンティティ」と題した自身の研究をついに開始することになりました。半構造化インタビューという調査手法を用いて、言語学者として、ウクライナ人の言語アイデンティティや言語意識の変化について把握することはもちろん重要でしたが、それと並行して、「ウクライナ人は日本では自分を誰だと認識しているのか？」「ウクライナ人は日本でどのように認識されているのか？」「ウクライナ人の国民的アイデンティティは、数年間の滞在を経てどのように変化するのか？」といった疑問に対する答えに出会いました。

2019年9月から2022年3月にかけて、年齢も職業も異なり、日本に1～28年間住んでいる47人のウクライナ人にインタビューすることができました。数百時間に及ぶ録音を分析した結果、私が見ているのはウクライナ人の言語と生活に関する単なる社会言語学的なものではなく、ウクライナと日本の両方に関してユニークで時折根本的に異なる見解を持つライフストーリーであることがわかりました。

インタビュー回答者は、人生経験も職業経験もさまざまです。私のように日本語を勉強するために来日し、日本文化に慣れ親しんでいるため、日本での生活がとても快適だという人もいれば、日本企業への就職が決まり、日本社会の特殊性を十分に理解できないまま、日本での生活を英語だけで過ごしてきたという人もいます。また、日本人と結婚して日本人とウクライナ人のハーフの子どもを持ち、家庭における精神的な苦労があるにもかかわらず、日本以外で暮らすつもりはないという人もいます。

このようなウクライナ人のストーリーは、ウクライナ人の個人・文化・宗教・国民アイデンティティを明らかにしています。日本で暮らしている中で、彼らが受けた最初のよくある質問は「どこから来たの？」という質問でしょう。そして、私がそうだったように、日本人にはまったく知られておらず、ソ連とりわけロシアと強く結びつけていたウクライナという国について伝える時、回答者たちはそれぞれ自分の国民的アイデンティティについて認識を深めていったのです。彼らの多くにとって、日本でしばしば経験しているウクライナとロシアの同一視、そして2014年のロシアによる侵攻とクリミアの不法な併合によるウクライナの悲劇は、国民単位で自分が何者であるかを理解する礎となるものと考えています。

こうして、回答者のストーリーを分析しながら、筆者は本書の執筆を思いたったのです。とはいえ、本書の序盤を構成し始めた 2020～2021 年当時、分析面での予測はともかく、「ユーロ・マイダン」直後の 2014 年に始まり、実質的にウクライナ東部だけで続いていたロシアによるウクライナに対するハイブリッド戦争が、2 年半後には全面的な戦争となり、第二次世界大戦以降のヨーロッパで最も悲惨で過酷な戦争になるとは思いもしませんでした。

2022 年 2 月に「ウクライナ人とは誰なのか、なぜ彼らは『偉大で無敵な（皮肉ですが)』ロシア軍に抵抗しているのか」という問いが、世界中の新聞の紙面を飾ることになるとは、その時の筆者は知る由もありませんでした。

そして 2022 年には、この戦争を始めたわけではなく、この戦争のありとあらゆる戦線で母国を守ることを選んだウクライナ人が、母国の領土のためだけでなく、自分たちのアイデンティティのために戦っていることが全世界の知るところとなったのです。人間のアイデンティティは、民族・宗教・文化・職業・ジェンダー・個人など、さまざまな属性を表しています。国民的アイデンティティは、ある国に住む人々が共有する、その国や地域における共通の文化や歴史、言語、宗教、価値観などの要素に基づく集団認識です。

そこで本書では、回答者たちの経験に基づいて、「ウクライナ人のアイデンティティとは何なのか？」という問いに答えてみたいと思います。

本書はウクライナという国をもっと知りたい方々向けとして考えているため、なるべく簡単に説明するようにします。そして、ウクライナ人の国民的アイデンティティをもっとも表している、同時にロシアとはまったく異なるものとして解釈されているウクライナ人の宗教・言語、そして本書執筆現在も続く戦争の原因を中心に説明していきます。

2023 年 11 月

ユリヤ・ジャブコ

謝辞

本書を執筆するにあたり、多くの方々にご協力・ご助言をいただきました。その中でも、特に重要な関係者の皆様に対する感謝の意をここに表させていただきます。

まず、2019 年から 2023 年までに本研究の対象者となった 47 人の在日ウクライナ人の調査協力者に深く感謝いたします。そして、フィールド・ワークの実施にあたり、インタビュー実施、協力者の紹介、写真の提供などに何度もご協力してくださった「NPO 法人日本ウクライナ友好協会 KRAIANY（クラヤニ）」、「NPO 法人日本ウクライナ文化協会」「Stand With Ukraine Japan」の代表者、ウクライナ日曜学校「ジェレルツェ」と「ベレヒーニャ」の先生、聖ユダミッションのポール・コロルク神父にもお礼を申し上げます。皆様のご協力のおかげで、日本ではまだあまり知られていないウクライナへの理解が深まることを信じております。

次に、ご多忙の中、本書に関する貴重なコメント・ご意見をくださった日本大学危機管理学部の田上雄太先生、ウクライナ研究会の國谷光司様、茨城キリスト教大学文学部の三輪健太先生、山口大学人文学部のオリハ・カテリーナ先生にお礼を申し上げます。部分的に日本語のチェックを行ってくださった Ukraïner（ウクライナー）日本語版の編集者の藤田勝利様、多くのウクライナ風景の写真を提供してくださった友人のユリアーナ・ロマニウ様にも感謝いたします。

また、2019 年から 2023 年まで在日ウクライナ人の生活や日本・ウクライナ関係史に関する共同研究およびウクライナ全国紙の『День』（『デーニ』）において共著で記事執筆にご協力してくださったリヴィウ国立大学ジャーナリスト学部のオリハ・クヴァシニッツァ先生にも感謝いたします。そして、2009 年に筆者にリヴィウ国立大学の大学院で社会言語学の世界を開いてくださったリヴィウ国立大学文学部のハリナ・マツュク教授にもお礼を申し上げます。

本書の出版にさまざまな段階でご協力してくださった茨城キリスト教大学や大

学教育出版の方々に、深謝の意を表します。
さらに、私の日本とウクライナの家族、そして友人にも心から感謝いたします。特にロシアによる全面的な戦争が始まってから、皆様の絶えないサポート、励ましや理解がなければ、本書の執筆は実現できなかったと思います。
最後に、本書をお読みいただいている読者の皆様にも感謝の意を表します。本書の内容に対する興味を持っていただくことがウクライナ支援につながります。なぜならウクライナの支援はウクライナの理解から始まるからです。

日本が知らないウクライナ
-歴史からひもとくアイデンティティ-

目　次

序説

1. 研究方法

本書は2019年9月から実施された社会言語学の研究「在日ウクライナ人の言語とアイデンティティ」の経験的根拠に基づくものです。当研究は大きく2つの時期に実施しました。まず第1期は、2019年9月から2022年2月にかけてスノーボール・サンプリングを用いて採用した日本在住のウクライナ人41人（女29人、男12人）を対象に、半構造化インタビュー（インタビュー調査の内容については事前に質問事項を決めておき、回答者の答えによって詳細を尋ねていく調査手法）を実施しています。調査協力者募集は、Facebookを通して実施した他、在日ウクライナ人の組織である「NPO法人日本ウクライナ友好協会KRAIANY」や「NPO法人日本ウクライナ文化協会」の代表者、東京のウクライナ日曜学校「ジェレルツェ」の保護者と教師に直接依頼する形で行いました。

また、各調査協力者とのインタビュー終了後に、調査協力者より日本での生活経験のある人の紹介を得ています。インタビューの形式は対面とオンラインの両方を用い[2]、1セッションあたり約60分から120分実施しました。インタビューの際、筆者はウクライナ語を使用し、調査協力者はウクライナ語（37人）、ロシア語（4人）を使用していました。

注2） 新型コロナウィルス感染症拡大の影響により、2020年以降のインタビューはすべてオンラインで実施し、Skype、Facebook MessengerおよびZoomを使用した。

第2期は、2022年2月24日にロシアによる全面的な戦争が始まった後、2022年3月から4月にかけて、今回の戦争が在日ウクライナ人のアイデンティティに影響を与えているかどうかを考察するため、第1期の研究協力者と再度（複数回）連絡を取り、インタビューを依頼しました。インタビューを承諾してくださったのは28人（女19人、男9人）でした。そして6人（女5人、男1人）は第2期の新しい協力者でした。また、インタビューの後も、調査協力者の情報確認のため、SNSを通してコミュニケーションを行いました。第2期のインタビューの使用言語は、筆者は同じようにウクライナ語で、調査協力者はウクライナ語（32人）、ロシア語（2人）でした。

さらに、在日ウクライナ人コミュニティの最新情報を収集するために2022年7月に東京のウクライナ日曜学校「ジェレルツェ」を訪問し、同校の教師に対してインタビューを実施しました。そして、2023年2月Facebook Messengerを利用して名古屋のウクライナ日曜学校「ベレヒーニャ」の代表者に対してもインタビューを行いました。

2. 調査協力者

在日ウクライナ人について幅広く理解を深めるために、調査対象者は次の基準のもとで選定しています。日本での居住期間（1年以上）と異なる性年齢区分（男女19～60歳）、職業（図1）、ウクライナの出身地（詳細は巻末の付録「調査協力者のプロフィール」を参照）。

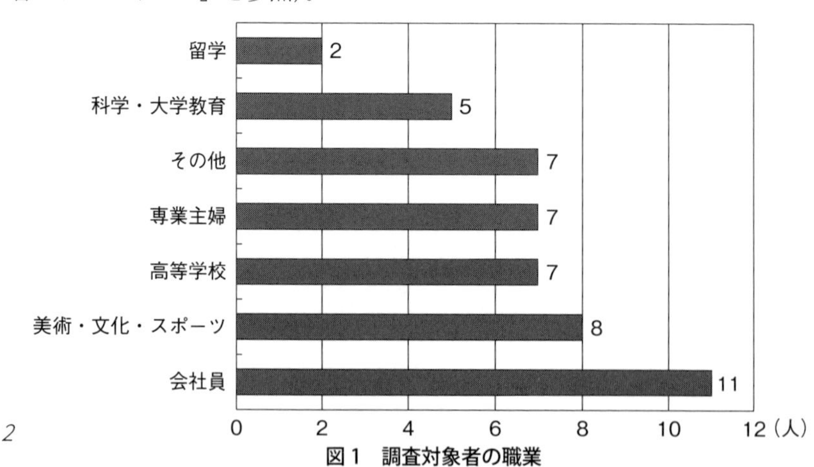

図1　調査対象者の職業

調査対象者の出身地は、ウクライナの4つの大区分の地域（西部、中部、南部、東部）を網羅し、各地域には次の州が含まれています。西部はヴォルィーニ州、リーウネ州、リヴィウ州、イヴァーノ＝フランキーウシク州とテルノーピリ州。中部はヴィーンヌィツャ州、ジトーミル州、ポルタヴァ州、キーウ州とキーウ市。南部はミコライウ州、ヘルソン州とクリミア。東部はドニプロペトロウシク州、ドネツィク州、ザポリージャ州、ルハンシク州とハルキウ州となっています。

調査対象者の出身地は図2、3のとおりです。

すべての回答者はウクライナ国籍を持ち、自分がウクライナ人であることを認識しています。

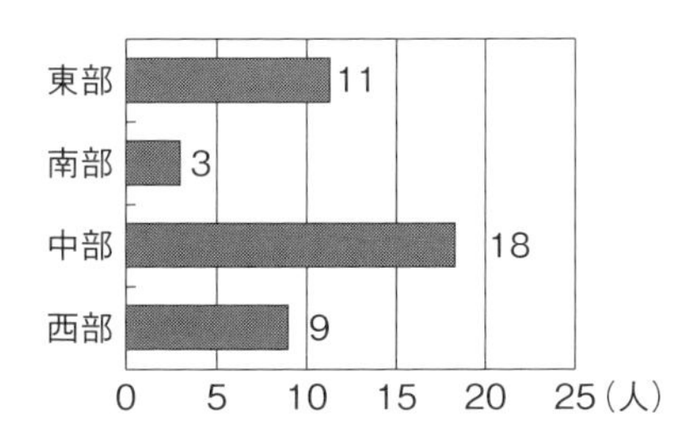

図2　第1期の調査協力者の出身地域

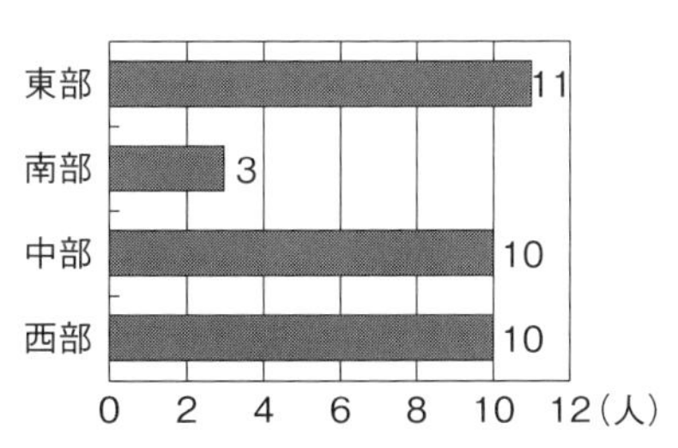

図3　第2期の調査協力者の出身地域

3. 本書の構成

第1章「ウクライナを知る」では現代ウクライナの領土に住んでいるウクライナ国民の形成、またそれに基づくウクライナ国家形成の歴史を考察します。そして、日本・ウクライナ関係史を簡単に紹介します。

第2章「在日ウクライナ人のコミュニティの形成の歴史と現状」では、在日ウクライナ人コミュニティの形成の歴史と現状について説明します。また、2022年3月以降在日ウクライナ人のコミュニティはどのように変化したかを検討します。

第3章「ウクライナ人の宗教とアイデンティティ」では、ウクライナでのキリスト教の歴史を紹介し、在日ウクライナ人のアイデンティティ形成における宗教の役割について検討します。また、日本のウクライナ正教会がどのように設立されたかを解説します。

第4章「ウクライナ人の言語とアイデンティティ」では、ウクライナの言語状況の歴史を検討し、在日ウクライナ人の言語使用や言語意識が、2014年のロシアのクリミア・ドンバスへの軍事侵攻や2022年2月のさらなる侵攻によって、どのように変わったかを分析し、ロシアによる戦争の影響の有無を考察します。

第5章「ウクライナ人の国民的アイデンティティとロシアによる戦争」では、2014年に開始したロシア・ウクライナ戦争による在日ウクライナ人の国民的アイデンティティの変化を説明します。そのため、まず2014年のクリミア半島とドンバスへの侵攻の影響、次に、2022年の全面的な侵攻が在日ウクライナ人の国民意識をどう変化させているかを検討します。

4. 本書で使用している表記

ウクライナの人名、地名、および固有名詞を紹介する際、ウクライナ語に基づく日本語表記を採用します。日本において定着しているウクライナの有名人（例えば、タラス・シェフチェンコ）はその表記を使用しました。

● 本書関連事項　ウクライナ略史

西　暦	出来事
882年	キーウ・ルーシ設立
988年	キリスト教を国教化
1240年	モンゴル軍キーウ攻略
1340年	ポーランドによる東ハリチナ地方占領
1362年	リトアニアのキーウ占領
1648年	フメリニツキーの蜂起（ポーランドからの独立戦争）、ヘーチマン国家（コサックの国家）設立
1654年	ペレヤスラウ協定（ウクライナのペレヤスラウにおいてコサック国家のヘーチマンであるボフダン・フメルニツキーはポーランドと戦うためにロシアのツァーリから保護を受けることにしました）
1667年	アンドルソヴォ条約（モスクワ大公国とポーランド・リトアニア共和国が署名した平和条約） この条約によりヘーチマン国家はドニプロ川を軸に分割され、モスクワ大公国はキーウと左岸ウクライナ、ポーランド・リトアニア共和国は右岸のウクライナを獲得した
1709年	ポルタヴァの戦いによるモスクワ大公国からの独立戦争
1764年	エカテリーナ2世はヘーチマン制の廃止
1765年	ヘーチマン国家の領土が小ロシア県としてロシア帝国へ編入される
1914年	第一次世界大戦開始
1917年	ウクライナ人民共和国（中央ラーダ政権）成立
1917～1921年	ウクライナ・ソビエト戦争
1922年	ウクライナはソビエト社会主義共和国連邦の構成共和国になる
1932～1933年	大飢饉（ホロドモール）
1937～1938年	スターリン政権による大粛清、「処刑されたルネサンス」
1939年	第二次世界大戦開始 西部ウクライナ（ブコヴィナとハルィチナ地方）はソビエト社会主義共和国連邦に編入
1941年	独ソ戦開始、独によるウクライナ占領
1945年	第二次世界大戦終結
1954年	クリミア半島はウクライナに編入
1986年	チョルノービリ原発事故

西　暦	出来事
1991 年	ウクライナ独立、ソビエト社会主義共和国連邦崩壊、CIS（独立国家共同体）
1994 年 12 月	ブダペスト覚書（ウクライナが核不拡散条約に加盟した代わりに、アメリカ・イギリス・ロシアの核保有3カ国がウクライナの安全を保障した）
1996 年 6 月	憲法制定、通貨フリヴニャ導入
2004 年 2 月	オレンジ革命（ウクライナ大統領選へ抗議運動）
2013 年 11 月～2014 年 2 月	ユーロ・マイダン（ヤヌコーヴィチ政権へ抗議運動）
2014 年 2 月	ロシアによるクリミア半島占領、ロシア・ウクライナ戦争開始
2014 年 3 月	ロシアと親ロシア派武装勢力はドネツィク州とルハンシク州で反ウクライナ政府抗議開始、一部占領
2015 年 2 月	ミンスク合意（ウクライナ、ドイツ、フランスとロシアの首脳が署名した平和合意）
2022 年 2 月 21 日	ロシアのプーチン大統領はウクライナの一部である東部の「ドネツィク人民共和国」および「ルハンシク人民共和国」を独立国家として承認
2022 年 2 月 24 日	ロシアによる全面的なウクライナ戦争開始

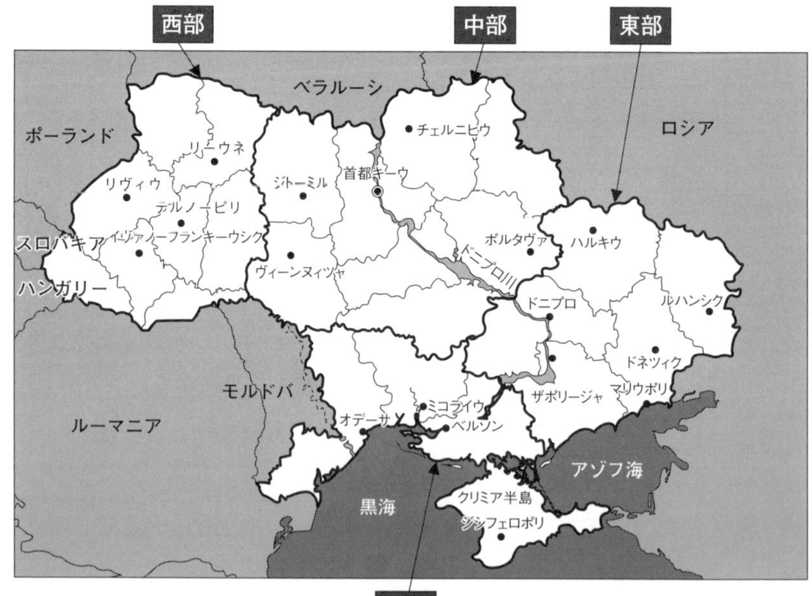

1章 ウクライナを知る

1. 日本におけるウクライナのイメージ

ウクライナ人と日本人が緊密な関係になるために重要な役割を果たすのは、日本の公式的な対ウクライナ政策と同じように、日本の人々によるウクライナへの認識であると思っています。ロシアによる全面的な侵攻の前に実施していたインタビューへの回答者は、日本人はウクライナのことをまったく知らないか、ロシアと結びつけて考えていると述べています。今回の研究の中で、ウクライナ人の3分の1は世界地図でウクライナがどこに位置しているかを説明する必要があり、ほぼすべての回答者が少なくとも一度はウクライナとロシアの違いを説明させられているのです。

「私が日本に到着したその日から、私はウクライナのことを日本の人たちに説明してきました。日本人にとって、ウクライナとロシアの間に境界線はなかったのです。彼らの頭の中にはこの2国の国境はなかったのです。しかし、今はあります。最初はウクライナがどこにあるのか、まったく理解できない人もいました。私はそのことに本当に驚きました。なぜなら、実際のところウクライナはヨーロッパの中心に位置しているからです。多くの日本人にとってヨーロッパといえばイタリアやフランスなのです。（中略）そしてときどき『ウクライナから来ました』と言うと『ウルグアイですか』と言われるのです。そのことはまったく信じられませんでした、私の国はウクライナです！」（女性、30代、芸術監督、在留期間13年）

「残念ながら、ウクライナとは何か、ウクライナ語とは何かを日本人全員が知っているわけではありません。ウクライナでは、旧ソ連と同じで、ロシア語が話されていると信じられているのです。私はウクライナ人なので、そのことはとても奇妙でとても不愉快です。ロシアはロシア、ウクライナはウクライナなのです」(女性、30代、音楽家、在留期間14年)

第1期のインタビューの回答者によると、日本におけるウクライナのイメージは徐々に変化していると語っています。これは、2014年から15年にかけて日本のメディアで取り上げられたクリミア占領とロシア・ウクライナ戦争というウクライナの政治的要因に起因しているのです。ネガティブな要因ではあるものの、ウクライナからの移民にとっては戦争をアピールすることでウクライナへの認識をよりしやすいものにしているのも事実なのです。

「戦争が始まってからは、ウクライナに対する認識がよりなされるようになりました。ウクライナがロシアであれば、ロシアとは戦うことはないということを誰もが理解しているのです。ウクライナがロシアではないということは、すでに明白になっています」(男性、30代、教師、在留期間9年)

「今はもう違います。毎日テレビで放映されているので、私の周りにはたしかにウクライナを知らない日本人は一人もいませんが、最初の頃は、『出身は?』と聞かれて、『ウクライナ』と答えると『ああ、ロシアね』と返ってきていました」(女性、40代、介護福祉士、在留期間19年)

同時に、日本政府がロシアによるウクライナ侵攻を公式的に非難していることや、北方領土における領土問題が日露間で解決されていないという類似した歴史が、ウクライナに対する積極的な態度に寄与しているという回答がなされています。例えば、インタビューしたウクライナ人女性の一人は、日本人の夫のウクライナに対する認識について次のように述べています。

「彼にとって日本は世界一の国であり、私は自分の国を愛しています。そして、彼は隣国を本当に好きではありません。（中略）彼は、併合という点においてウクライナも日本とよく似ていると考えています」（女性、40代、タレント、在留期間16年）

さらに、2022年2月に開始したロシアによるウクライナ軍事侵攻に伴い、日本政府の政治的・経済的な支援、そして日本のメディアによるウクライナ情勢に関する積極的な報道のおかげで、日本人によるウクライナへの認識が高まっている傾向が見られています。

歴史は勝者によってつくられると言われます。何百年にわたり負けた側だったウクライナ人は自分の歴史を伝える機会があまりありませんでした。筆者はこの章でまず、ウクライナ国民の形成、またそれに基づくウクライナ国家形成の歴史をウクライナ人の視点から簡単に紹介します。

2.「ウクライナ」という名称の歴史

「ウクライナ」という単語は、スラブ祖語に由来し「край」という単語からできており、「地方、国」という意味を持っています。初めてこの意味で使用されたのは『原初年代記』（また『イパーチー年代記』）（1187年）でした。そして、14世紀にルーシの領土がポーランドの領土になった時、「ポーランドのウクライナ」と「リトアニアのウクライナ」という使い方が広がったのです。コサックの国家の時代に「ウクライナ」の使用はより一般的になりました。

しかし、昔からウクライナの独立運動を恐れていたロシア帝国、そしてロシア帝国を継いだソ連のロシア歴史学者は、「ウクライナは国ですらない」という思想を強調するために「ウクライナ」の語源は、「辺境、境界」を意味していると説明していました。ロシア支配時代にウクライナの代わりに、「小ロシア」という名称が使われていたこともその証なのです。

ウクライナ人が歴史的に経験したロシアの帝国主義を理解するために、「大ロシア」と「小ロシア」という概念を説明する必要があるでしょう。

歴史的に、現在のウクライナ領土の一部が「マロロシア」、つまり「小ロシア」と呼ばれていました。「マロロシア」は、文字通り「小さなロシア」という意味を持っていますが、この表現のもともとの意味はまったく異なります。長期にわたりロシア帝国、ソ連、そして、ロシアのプロパガンダに洗脳されたロシア国民の中で本当の意味を知っているロシア人はあまりいません。

1721年にピョートル1世は「モスクワ大公国」を「ルーシ」のギリシャ語風名称として「ロシア」と名乗るようにしました。それ以降、長い間自分のことをモスコヴィア人と呼んでいた人々は「ルッスキー」(「ロシア人」)と呼び始められたのです。

ポーランド・リトアニア大公国領になった、本当のルーシの後継者であった「ハールィチ・ヴォルィーニ大公国」(1199～1349年)(現代ウクライナ西部の中心としていた)の王者の継承が続かなかったために、「モスクワ大公国」は勝手に「ルーシ」の名前を盗みました。そして、1764年にロシアのエカテリーナ2世によってヘーチマン国家が消滅させられ、ロシア帝国に合併されたとき、ヘーチマン国家の領は「小ロシア州」として編成されたのです。

本来「小ロシア」という名称は「小さなロシア」という意味とはまったく異なり、ギリシア語に由来し、1301年に初めて「ルーシの中心にある歴史的な領土」という意味で、当時存在していたハールィチ・ヴォルィーニ大公国に対して使用されたのです。15～16世紀に「小ロシア」はポーランド王国とリトアニア大公国に合併された旧ルーシの土地を示す言葉でした。さらに、17世紀からは、ヘーチマン国家とナドニプリアーンシナ(ドニプロ川の流中に広がるウクライナの歴史的地名)という土地の政治的地位を示すために使用されていました(Енциклопедія Історії України)。

つまり､語源的に「小ロシア」は「本当のルーシ」という意味を持っています。しかし、エカテリーナ2世の時代以降、ロシア人はウクライナ人に「下の民族」、「弟」であり、つまり「小ロシア人」であると思わせたのです。

同じように、ソ連時代に全世界でウクライナ人とロシア人が「兄弟民族」であるという教育を受けた人々は非常に多いと思いますが、なぜかウクライナ人は「弟」として呼ばれ､つまり「二流」のロシア人だと解釈している印象があります。

3. ウクライナ語とは

表 1-1 ウクライナ語の基本情報

語族	インド・ヨーロッパ語族のスラブ語派の東スラブ語群
表記	キリル文字（アルファベット　33 の文字）
話者人口	4,100 ～ 4,500 万人（スラブ語派においてはロシア語とポーランド語に次いで第 3 位の話者人口、世界第 27 位）

日本でウクライナ語はロシア語ととても似ていると思われていますが、実際にはそういうわけではありません。ウクライナ言語学者であるコステャンティーン・ティーシチェンコ[3]の研究によれば、ウクライナ語にもっとも近い言語はベラルーシ語と言われています。ティーシチェンコが計算したスラブ諸語との語彙共通率は次のとおり。ベラルーシ語（84%）、ポーランド語（70%）、スロバキア語（68%）、ロシア語（62%）となっています。

表 1-2　スラブ諸語との音声・文法の共通点

言　語	共通点の数
高地ソルブ語・ベラルーシ語	29
低地ソルブ語	27
チェコ語・スロバキア語	23
ポーランド語	22
クロアチア語・ブルガリア語	21
セルビア語・マケドニア語	20
ポラーブ語	19
スロベニア語	18
ロシア語	11

注 3）コステャンティーン・ティーシチェンコ（Костянтин Тищенко）（1941 ～ 2023 年）はウクライナ言語学者、200 以上の言語学に関する論文の筆者で、タラス・シェフチェンコ記念キーウ国立大学の教授。ティーシチェンコはキーウ国立大学に「言語博物館」を設立し、その展示品の一つが「ヨーロッパ言語の語彙的距離」。

このように、ティーシチェンコはウクライナ語の系統論の研究を行い、ウクライナの地位の再考察が必要になると指摘しています。

ちなみに17世紀に、ウクライナ領土がロシアに合併される前、ウクライナ語の中でロシア語の単語は2つしかありませんでした（Гонтарук 2014）。

しかし、なぜ21世紀の初めにロシアのプロパガンダは「ウクライナでロシア語話者は圧力がかけ続けられた」といった偽情報を発信することができるのか、ウクライナ語の歴史をたどりながら第4章にて詳細に説明します。

4. ウクライナ国民形成の歴史

個人のアイデンティティの場合、「私とは何か」という質問に対して生まれる自己認識の意識である一方、国民的アイデンティティの場合、「われわれとは何か」という質問に対して生まれる国民としての自己認識です。「国民」という概念は近代化の中で形成され、一つの国家を構成する構成員を指します。スミス（1999）によれば、国民的アイデンティティに不可欠な要素は、共通の歴史上の領域、共通の神話と歴史的記憶、共通の大衆的・公的文化、全構成員にとっての共通の法的権利と義務、構成員にとっての領域的な移動可能性のある共通の経済となっています。またスミスは、国民的アイデンティティの確立は国民運動との強い関連があると強調しています。

たしかにウクライナがようやく本当の意味での独立国家になったのは1991年ですが、ウクライナ国民の歴史は必ずしもウクライナ国家の歴史ではなく、現代ウクライナ領土に住んでいるウクライナ国民の形成、またそれに基づくウクライナ国家形成の歴史なのです。

国民的アイデンティティには、共通の文化的な伝統、価値観、信念、そして歴史的な出来事への共感や誇りに基づく認識が含まれます。そのため、ロシアが長期にわたりウクライナ国民の歴史的記憶を消そうとしていたり、ウクライナ国家の独立を否定していたりしたにもかかわらず、ウクライナの活発な文化運動（教育、文学芸術、出版）のおかげでウクライナ人の歴史的記憶が生き残ったのです。

ウクライナ人の国民としての歴史は少なくとも9世紀にキーウ市を中心に創設されたリューリク朝の治世下のキーウ・ルーシ（キーウ大公国）の歴史的過去に

根をもつと認識されています。2021年7月に社会調査グループ「レイティング」がウクライナで行った世論調査の結果によれば、ウクライナをキーウ・ルーシの継承国だと思うウクライナ国民は75%、ロシアだと思う人々は8%、どちらでもないと思う人々は9%（ウクルインフォルム2021）でした。

表1-3 キーウ・ルーシ（882～1240年）の前のウクライナ領土の歴史

年　号	出来事
紀元前5500～2750年頃	トリピッリャ（ククテニ）文化
紀元前8～紀元前7世紀	キメリア人は南ウクライナを中心に活動していたアジアの遊牧騎馬民族である
紀元前7～紀元前3世紀	スキティア人（または、スキタイ人）はウクライナを中心に活動していたイラン系の遊牧騎馬民族である
紀元3～紀元後4世紀	サルマチア人（または、サルマタイ）はウラル南部から黒海北岸にかけて活動したイラン系の遊牧民集団である
1～4世紀	ヴェネティは初期スラブ系の民族である
4世紀	ゴート（古代ゲルマン系の民族）は西進でヴェネティを押し、北黒海地域で住み始めた
4～6世紀	ヴェネティはアントとスクラヴェニに分けられ、東方から襲来したフン族（中央アジアの遊牧民）と一緒に東ゴートを倒した
5世紀（482年）	キーウ市はポリャーネ族（東スラブ人の部族）によって設立された

多くの歴史学者と知識人（*Istoria Rusov*[4];Hrushevsky 1898, 1970; Doroshenko, Subtelny 1988; Magocsi 1996; Plokhy 2015, 2023; Kuzio 2020; Івшина 2015, 2017; 黒川2002など）が指摘するように、ウクライナの歴史は東スラブ人が構成したキーウ・ルーシ時代から始まります。キーウ・ルーシ公国のヴォロディーミル1世（在位：978～1015年）は、ヨーロッパ最大国まで拡大し、988年にキリスト教を国教化したとされています。

ヴォロディーミル1世の息子であるヤロスラウ1世（キーウ大公在位：1015～1018、1019～1054年）はキーウ・ルーシの政治的な統一を強化し、大公国を東ス

注4) *Istoria Rusov* [Hisotry of Ruthenians] は18世紀から19世紀の初めにかけて書かれたと思われる。この本でキーウ・ルーシからコサック国家の歴史に焦点が当てられ、初めてキーウ・ルーシがウクライナ人の最初で最古の形態であると主張した。

ラブ世界の中心とする基盤を築きました。

ヤロスラウ1世は、キーウ大公国内の政治的な安全や経済の発展、法律（『ルーシ法典』）を整備するだけではなく、当時の文明進歩を示していたキリスト教の普及にも尽力しました。ヤロスラウ1世は初めてキーウ府主教（キーウ府主教の役割について第3章「ウクライナ人の宗教とアイデンティティ」を参照）にビザンチン帝国出身の聖職者ではなく、ルーシ人（イラリオン）を就任し、そして現在までキーウに残っており、世界遺産として登録されているキリスト教の教会や修道院（聖ソフィア大聖堂：1037年、キーウ・ペチェールシク大修道院：1051年）の建設を支援しました。

ヤロスラウ1世のヨーロッパでの影響力を理解するために、彼の4人の娘たちの結婚先を紹介します。エリザヴェータはノルウェー王ハーラル3世と結婚し、アナスタシヤはハンガリー王アンドラーシュ1世と結婚し、アンナはフランス王アンリ1世と結婚し、そしてアガタはイングランド王エドワード・アシリングの妻になりました。残念ながらヤロスラウ1世の死後、彼の息子たちの間でキーウ王位をめぐる争いや対立が勃発し、キーウ大公国は分割される過程に入りました。この時期は「分割時代」として知られています。

写真1-1 聖ソフィア大聖堂（1037）
（写真提供：ユリアーナ・ロマニウ）

写真 1-2 キーウ・ペチェールシク大修道院（1051）
（写真提供：ユリアーナ・ロマニウ）

キーウ・ルーシが一時的な繁栄と安定をあらためて享受した時期とされているのは、ヴォロディーミル 2 世モノマフがキーウ大公（キーウ大公在位：1113 ～ 1125 年）として統治した時です。ヤロスラウ 1 世の孫であるヴォロディーミル 2 世は、キーウ・ルーシに中央集権的な王政を復活させ、国内の諸公国との対立を調停し、政治的な統一を図ったことにより、国内の安定を維持しました。ヴォロディーミル・モノマフは国内争いを避けるために、『子供たちへの教え』というキーウ・ルーシ文学における画期的な作品を残しました。それにもかかわらず、地域的な勢力争いや外部からの侵攻が続きましたので、キーウ・ルーシの勢力は大きく弱体化しました。

1240 年にモンゴル帝国の侵攻によってキーウ・ルーシが滅びてから、ルーシ西部に成立したハールィチ・ヴォルィーニ大公国はルーシの政治、伝統、文化などを受け継いだ主な国家となりました。ハールィチ・ヴォルィーニ大公国がローマ教皇をはじめ、中世ヨーロッパの諸国にルーシ王国として承認されたのです。1349 年にハールィチ・ヴォルィーニ大公国はポーランド王国の領土となり、そして 1569 年にルブリン合同によって統合されたポーランド・リトアニア共和国の支配を受け、これによりキーウ・ルーシという国家は完全に消滅します。このように、ウクライナは、現代ウクライナの首都であるキーウを中心に存在していた中世ヨーロッパでもっとも輝く大国だったキーウ・ルーシの後継者国家です。

しかし、17世紀以降ウクライナ領土はロシア帝国やソ連時代にロシアの支配下に置かれたため、昔から歴史学ではなく神話学に基づくロシアの指導者はキーウ・ルーシを自分のものにすることにしました。現代ロシアもウクライナがキーウ・ルーシの後継者国家であることを認めておらず、ロシアの偽歴史は現在も続くロシア・ウクライナ戦争の背景にも大きく影響しています。

ロシアがキーウ・ルーシを後継者として認めていない理由の一つとしては、ウクライナとロシアの民族に背景があります。キーウ・ルーシは東スラブ諸国として知られていますが、最盛期においてはスラブ族だけではなく、さまざまな民族から成り立っていました。

モスクワ市が1147年にヴォロディーミル2世モノマフキーウ大公の6男（11男のうち）であるキーウ公だったユーリー1世ドルゴルーキーによって建設されたことは有名な神話です。しかしキーウ・ルーシの北東辺境地にあったモスクワ、そしてモスクワ公国（1263年設立）になった土地は、主にフィン・ウゴル系民族が住んでいた領土でした。非スラブ語を話していた非スラブ民族の新連合体だったため、キーウ・ルーシの後継者として認めることは難しいです。また、キーウ大公国と異なり、モスクワ公国はモンゴル軍へ反抗せず、1238年から1480年までジョチ・ウルス（キプチャク・ハン国）の支配下として存在していたため、キーウ・ルーシとまったく異なる政治、社会制度、文化などを持つ国家でした。

もう一つの理由としては、ユーリー1世・ドルゴルーキーと彼の相続者のキーウ大公に対する態度です。当時スズダリ公だったユーリー1世ドルゴルーキーは王位継承順によりキーウ大公国の王位を継ぐことができなかったため、北東辺境地にいながら20年間もキーウ王位のために親族と対立を続けていました。1157年から1159年までキーウ大公国を統治しましたが、短期間の統治に終わりました。また、彼の息子のアンドレー1世・ボゴリュブスキー（ヴィシゴロド公、ヴォロディームィル公）は、父親が行っていた権力闘争をさらに続け、1169年にキーウを占領しました。当時の年代記記者によれば、彼は、キーウ王位継承のために戦っていた他の公たちと違い、街を完全に破壊し、教会も女性も子どもも何一つ惜しまなかったのです。このようにウクライナの歴史学者からすると、アンドレー1世・ボゴリュブスキーは、同じスラブ伝統やキリスト教文化を共有していた者として見られておらず、異なる文化と宗教の代表者として見なされています。

ちなみに、ウクライナ人はアンドレー1世・ボゴリュブスキーの1169年のキーウ占領とプーチンの2022年のキーウ占領の試みをロシアとウクライナの歴史の繰り返しと捉えています（第5章「ウクライナ人の国民的アイデンティティとロシアによる戦争」を参照）。

15世紀後半以降、ポーランド・リトアニア大公国内の「ウクライナ」と呼ばれるドニプロ川の中下流の広域において、自分のことをコサックと呼んだ軍事的共同体が誕生します。コサックの軍事力が高まると、17世紀後半にポーランド・リトアニア共和国の支配下だったコサック[5]が文化的・政治的反対独立運動を起こし、ヘーチマン国家（または、コサック国家）を設立します。1187年のイパーチー年代記に「土地、国」という意味で初めて登場した「ウクライナ」という言葉を広め、普及させたのはコサックたちでした。コサックの指導者がドニプロ川両岸に広がったコサック地帯を指した「ウクライナ」を自分の祖国として意識し始めました。歴史学者はウクライナのナショナル・アイディアはちょうどコサックの独立運動によって構築されたと指摘しています。

その後、ロシア帝国のエカテリーナ2世によってヘーチマン（コサック国家の時代にコサックの首領であった軍司令官職の呼称）の制度が18世紀に廃止されました。それにもかかわらず、19世紀にウクライナでは他のヨーロッパの国民運動と同じように、反帝国的で、歴史的な主体である国民に焦点を当てた国民運動が起きていたのです。近代化によってもたらされたウクライナ国民運動の強固さは、1917年に誕生したウクライナ人民共和国と、1917年から1921年までに続いていたウクライナ・ソビエトロシア戦争で、そして1922年に形成されたウクライナ・ソビエト社会主義共和国まで一貫していました。

1991年12月1日にウクライナで独立住民投票が行われました。投票者の92.3%がウクライナの独立に賛成しました。このように1991年にウクライナは「国民

注5）コサック（テュルク語のkazak「自由の民」に由来）は、15世紀後半にドニプロ川を越えたステップの未開拓地（ウクライナ南部）に出現した自治的な軍事・政治組織である。コサックは自らを独立した軍事共同体と考え、オスマン帝国やモスクワ大公国、ポーランド・リトアニア共和国などに対するさまざまな軍事的戦闘に参加した。平時には、狩猟・漁労・交易を営んでいた。1648年、ボフダン・フメリニツキーの指導のもと、ヘーチマン国家と呼ばれるコサック国家が設立された。1782年にロシアのエカテリーナ2世がヘーチマンの制度を正式に廃止するまで、それは存続した。

の刑務所」[6]と呼ばれたソ連社会主義共和国から独立しました。ウクライナ人の独立運動はソ連邦の解体で1991年にウクライナ独立国家が設けられたことによって、いったんは終わることになりました。

ソ連という「最後の帝国」(ウクライナの歴史学者セルヒー・プロヒー[7]による言い方)が崩壊したことで世界の勢力図は変わりました。アメリカの政治学者のズビグネフ・ブレジンスキーによれば、ロシアが民主主義と帝国主義のどちらを選択するかは、地政学的中心となったウクライナ次第だったのです。2014年にロシアは「ロシア世界」と呼ばれる帝国主義の思想に基づき、ウクライナ領土である半島クリミアの占領および違法な併合を行い、そして親ロシア派の武装勢力を支援しながら、ウクライナ東部の占領をきっかけにウクライナでハイブリッド戦争を開始しました。

ブレジンスキーの指摘が当たっているように、ウクライナは民主主義を選択し、ロシアに抵抗し、政治的・軍事的・文化的な独立運動を続けることにしたのです。ウクライナが8年間もロシアと妥協しなかった結果、2022年2月24日にロシアによる戦争は全面的な規模になったのです。

5.ウクライナとロシアの関係の歴史は、戦争の歴史

ウクライナ東部ハルキウ市生まれのスラブ言語者、コロンビア大学の教授だったユリー・シェヴェリョウ[8](Шевельов 2009: 70)が、ウクライナとロシア関係について次のように述べています。

「ウクライナとロシアの関係の歴史は、偉大で未完の戦争の歴史である。他の戦争と同じように、この戦争にも前進と後退があり、亡命者と捕虜もいる。この戦争の歴史は研究されなければならない」

20世紀に活動していたシェヴェリョウがずっと前からウクライナ人に警告し

注6) ウクライナ語で「Тюрма націй」

注7) Plokhy, Serhyi, *The last empire: The final days of the Soviet Union*, New York: Basic Books, 2014.

注8) ユリー・シェヴェリョウ(George Shevelov, Юрій Шевельов)(1908～2002年)の個人図書コレクションは北海度大学スラブ研究センター図書室に保管されている。

ていたロシアの危険性を理解するために、今続いている戦争が必要だったとウクライナの有名な作家であるオクサーナ・ザブジュコ（Забужко 2020:153）はウクライナ人の歴史への記憶に訴えています。スミス（Smith 1981）も戦争が民族を形成した主要な力の一つであり、そして戦争の長期化によって国民意識が高まると強調しています。このように、ロシアの侵攻を受けたウクライナ人はウクライナ国家の独立・主権の喪失の恐れだけではなく、ロシア軍が爆撃やミサイル攻撃によってウクライナの文化、歴史、アイデンティティを消し去ろうとしていることを意識したのです。

現在も続いているロシア・ウクライナ戦争が終わらない限り、専門家が戦争のダイナミズムや勝利点、失敗点を最終的に測ることはできませんが、ウクライナ人の国民的アイデンティティの変化やウクライナ国民の統合は著しく目に見えてきたといえるでしょう。

写真 1-3 ウクライナ国歌の歌詞の一部はリヴィウ市の看板として記載
「我らが敵は日の前の露のごとく亡びるだろう」
（写真提供：ユリアーナ・ロマニウ）

6．日本とウクライナの関係史

1991年のウクライナ独立までの日本・ウクライナの関係は日本・ロシア外交関係、後に日ソ国交の枠組みの中で行われていましたが、ウクライナ人と日本人の関わりは歴史が長く、18世紀末までにさかのぼります。

ロシア・日本の言語関係を研究しているウクライナの日本文学者・言語学者であるイヴァン・ボンダレンコ教授（Бондаренко 2000）によれば、昔のロシア語・日本語の会話集と辞典の中に、多くのウクライナ語の単語が記録されています。ロシアを見てきた最初の日本人として知られている、江戸中期の船頭だった大黒屋光太夫によって作られた『魯西亜語類』の中にも、ウクライナ語の単語はあったとボンダレンコが指摘しているのです。このようなことから、18世紀にウクライナ人と日本人は関わりがあったと考えられるのです。

両国の文化的関係がより活発になったのは、オデーサに日本領事館が設置されたこと（ウドヴィク 2022）や、1916年にカルメリュク＝カメンシキーウクライナ劇団が日本の都市で公演活動を行ったことに関連しています（岡部 2021）。

しかし、1991年のウクライナ独立までの両国間の協力は日露国交、後に日ソ国交の枠組みの中で行われていました。ちなみに、1918年にはすでに日本政府はウクライナ人民共和国の独立を支援する準備ができており、1930年代半ばまで、特に極東地域において、ボルシェビキ・ロシアから独立するためのウクライナ国民運動をあらゆる方法で支援していたことも知られています。

ソ連時代、日本・ウクライナの交流は基本的に文化レベル（姉妹都市設立「京都市とキーウ市」「横浜市とオデーサ市」）で行われていました。

1991年12月28日、日本政府はウクライナの独立を承認し、1992年1月26日にウクライナと日本は外交関係を樹立しました。

1996年から1999年まで日本大使としてウクライナに在勤した黒川祐次は1990年代のウクライナ・日本の関係について次のように語っています。

「独立後5年ほど経った当時のウクライナは、将来への希望と、思ったように経済が良くならないことへの失望が混在していた時期でした。時のウクライナ政府の最大の課題の一つは、国家財政が資金繰りに行き詰まってデフォールトに陥ることを防ぐことでした。したがって、ウクライナ政府の日本への期待の主要点は、IMF の重要構成国である日本に IMF の中でウクライナのために働きかけをしてほしいということでした。つまり、それが私の仕事の主要点でもありました。[略] 二国間の課題としては、それまで日本では、ウクライナは日本の ODA（政府開発援助）供与の対象国になっていませんでした。私は当時のミチューコフ財務相やシュペック開発担当相などと協議し、また東京を説得しました。そして ODA が出るようになりました。今では日本はウクライナに対する主要な ODA 供与国になっています。今になって思うことは、もし私がソ連の専門家だったらいつまでもモスクワの視点でウクライナを見ていたのではないかということです。先入観なしのフレッシュな目でウクライナを見たことは結局よかったと思っています（Дзябко, Квасниця 2021）」

つまり、1990 年代にウクライナと日本の関係は経済的・政治的に徐々に進んでいたが、深化しなかったといえます。日本・ウクライナ間の貿易額は比較的低く、日本企業がウクライナに進出することも限定的でした。

日本人がほとんど知らないウクライナを発見することに日本の研究者と外交官が大きく貢献しました。その中で、ウクライナ研究会を設立した歴史学者である中井和夫（1991、1998）、2022 年以降使用されている日本語のウクライナ語表記[9]を紹介した言語学者である中澤英彦（2009 など , エコノミスト Online 2022）、日本におけるタラス・シェフチェンコ研究の第一人者である文学者である藤井悦子（2018 など）、現在ウクライナ研究会長を務めている経済学者・歴史学者である岡部芳彦（2021, 2022 など）、現代のウクライナ人の歴史的記憶などを研究している保坂三四郎（2019, 2023）、ウクライナ憲法を研究している田上雄大（2017）などはとても積極的でした。

外交官の中では、在ウクライナ特命全権大使を務めた黒川祐次（2002）、天江喜七郎、角茂樹（2022）、倉井高志（2022）が知られています。

注 9）2019 年 9 月 4 日に日本で開催された「ウクライナの地名のカタカナ表記に関する有識者会議」では、首都名について従来の「キエフ」と並び、「キーウ」などの併用を可能とする見解が示された。

写真 1-4　2019 年 9 月 4 日に日本で開催された
「ウクライナの地名のカタカナ表記に関する有識者会議」
（写真提供：ウクライナ研究会）

現在続いているロシアによる戦争の理解に、多くの政治学者やジャーナリストが貢献しています。そのうち政治学者で NATO の専門家である東野篤子（2023）、軍事評論家である小泉悠（2022）、国際政治学者である篠田英朗、鶴岡路人（2023）、細谷雄一（2023）、合六強、ウクライナ国営通信社 ウクルインフォルムのジャーナリストである平野高志（2020）などです。

2章 在日ウクライナ人コミュニティの形成の歴史と現状

ウクライナ人の日本への移住の多くはソビエト連邦崩壊、1990年代前半のウクライナと日本の外交関係樹立、そして日本の国際化促進と並行して進行しました。過去30年間で多くのウクライナ人が日本を居住国として選択しているのです。

日本の法務省の報告によると、2021年12月の時点では1,858人（全移民のうち0.07%、欧州からの移民のうち2.6%）のウクライナ人が日本に在住し、うち947人が永住許可を受けています（法務省2022)。

2022年の前半までにウクライナと日本の関係は前向きに発展し、特に文化と科学分野で一貫した協力が見受けられました。ウクライナの12の大学[10]における日本語を専攻として学ぶウクライナ人学生の増加、そして日本の大学でのウクライナ人学生と研究者数増加もそれを物語っています。

しかし、2022年2月24日に始まったロシアによるウクライナでの全面戦争は、ウクライナ人の日本への移住ダイナミクスを大きく変化させました。ロシアによるウクライナでの戦争が新たな段階に入るのとともに、日本はロシアによる軍事侵攻とウクライナの領土保全と主権の侵害を非難し、戦争から逃れるウクライナ国民を受け入れました。その結果、日本におけるウクライナ人コミュニティは増加しています。それゆえ、現在の日本では、ウクライナの多面的な研究が必要になっているのです。

そこで、本章では在日ウクライナ人コミュニティの形成の歴史と現状について説明していきます。

注10）タラス・シェフチェンコ記念キーウ国立大学、キーウ国立言語大学、M.P. ドラゴマノウ国立教育大学、ボリス・フリンチェンコ記念キーウ大学、イヴァン・フランコ記念リヴィウ国立大学、リヴィウ工科国立大学、オレシ・フォナチャル記念ドニプロウシキー国立大学、I.I. メチニコウ記念オデーサ国立大学、H.S. スコヴォロダ記念ハルキウ国立教育大学、東洋学と国際関係研究所「ハルキウ・コレギウム」、国際大学「ウクライナ」、ペトロ・モヒラ記念黒海国立大学）

1. 2022年3月までのウクライナ人の日本への移住ダイナミクス

日本の法務省の報告によると、2021年の時点で1858人（全移民のうち0.07%、欧州からの移民のうち2.6%）のウクライナ人が日本に在住していました（図2-1）。

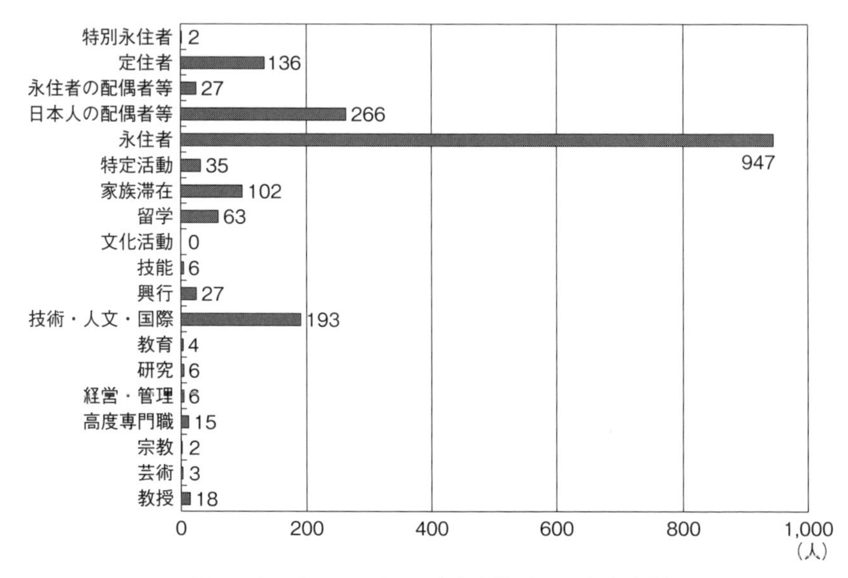

図2-1 在日ウクライナ人の在留資格（2021年末時点）

出典：法務省「在留外国人統計」2023年より著者作成

在日ウクライナ人の居住地域は主に東京、横浜、大阪、京都と名古屋に集中していました。これらの居住地域内ではグループ間での大きな特徴の違いは見られません。一方、居住地域によっては、雇用機会、福祉、および外国からの居住者数は大きく異なり、それらは原則として、大都市であるほど高い傾向があります。

ウクライナから日本への移住者の大きな特徴として性別構成が挙げられます。来日したウクライナ人女性は男性の約3倍になっています。これは、女性就労者

注11）短期（最長90日間）の訪問で日本に滞在しているウクライナの外交官およびウクライナ人は含まれない。

の多い興行活動に関わる移住者数が1995年から2005年にかけて多かったことが一つの要因として挙げられます。

また、ウクライナ人女性に日本人男性配偶者がいる割合は、ウクライナ人男性に日本人女性の配偶者がいる割合よりも高いという統計結果も出ています。

2021年までの移住者の性年齢構成比は、女性の中では40～49歳(40.5%)が最も高い割合を占めていました。30～39歳の女性は28.4%、20～29歳の女性が14.4%です。男性の中では20～39歳（31.2%）が最も高い割合を占め、20～29歳が27.0%、40～49歳が16.8%です。

表2-1　日本におけるウクライナの人口・性別

	1995年	2000年	2005年	2010年	2015年	2020年	2022年
人口（人）	214	557	1,784	1,507	1,699	1,903	4,158
男	38	106	177	283	379	470	1,060
女	176	451	1,607	1,224	1,320	1,433	3,098

出典：法務省「在留外国人」2023年より著者作成

在日ウクライナ人に関する統計データは1993年に初めて記録され、その年に記録されたウクライナ人の数はわずか5人でした。なお、1991年に440人のソ連市民が日本の統計データとして登録されている中に、ウクライナ人も含まれている可能性があることは注視しなくてはなりません[12]。

その後、1995年にウクライナ人の数は214人に増加したのです。日本においての長期滞在の主な目的は、就業（67.4%）、教育（6.1%）、科学・文化活動（5.6%）、婚姻（5.1%）であり、入国した214人のうち176人が女性、38人が男性でした。1996年から2005年にかけては、就業と婚姻へと滞在目的がシフトし、20～35歳の女性が大部分を占めていました。特に2004年には日本への移住が加速し、1927人（女1,755人、男172人）を記録。滞在目的としては就業が64.8%、婚姻が18.3%、教育が3.3%、科学・文化活動が1%となっていました。2020年には非永住者のうち、18%が就業、6%が留学、14%が配偶者ビザで日本に滞在していました。

回答者によると、日本を長期滞在先として選んだ主な理由は、ウクライナの経済状況の不安定化による就職難、低水準な社会保障や不安定な政治情勢、国際的

注12）各年版の「在留外国人統計」より筆者集計。

な環境での就業・学習経験の構築や日本語を学ぶニーズ、そして家庭の事情が挙げられていました。

2. ウクライナの人々の日本への移住目的

下記では、ウクライナ人の主な日本への移住目的を検討してみます。

（1）就労移住

日本の法務省のデータによると、1995年から2004年にかけて、興行に関わる活動を通して取得した在留資格（興行ビザ）での労働移住が最多でした。この在留資格では、演技、モデル、振り付けや音楽などの専門家やスポーツの代表者などの入国が可能になります。1995年時点では、このようなエンターテイメント業界に属するウクライナ人は138人でしたが、2004年までには10倍の1185人となっています（当カテゴリーの全移民のうち2.6%）。しかし、2005年に日本政府によって興行ビザの厳しい制限が導入されたことをきっかけに、状況は大きく変化しました。

2004年に日本政府は人身取引対策行動計画を策定、入国管理法に違反した場合の刑事罰の導入と興行ビザの発行基準を変更するという対策を行っています（外務省2008）。その結果、過去15年間で、エンターテインメント業界における外国人労働者は年間平均6万5,000人から2,000人にまで減少しました。同業界におけるウクライナ人の数も同様に減少し、現時点では年間30人から50人の範囲内にとどまっています。

2000年代半ば以降は国際的な労働市場の発展とともに、ウクライナ人の移住ダイナミクスは変化し、専門的かつ高度な職業能力を持つ労働者と学生の増加が見られました。筆者の調査結果によると、在日ウクライナ人の大半（47人中45人）は高等教育を受けており、英語と日本語能力が高いため、日系の中小企業や大企業での就業が可能です。また、日本語の完全習得が求められないIT技術の専門家や英語教師の需要が高いことも、ウクライナ人移住者の日本への関心を高めています。例えば、技術から人道支援までもっとも幅広い領域が含まれる「技術・人文知識・国際業務」の在留資格保有者は、2005年に20人、2015年には90人、

2020年に196人と増加しています（全就労ビザ数のうち60%）。

調査に対する回答者の一人は次のように述べています。

「日本では、おそらく人数が少ないことと、ここに来るのは労働移民ではなく、高等教育を受けた人々であることから、非常に教育レベルが高く、意識の高いウクライナ人コミュニティがあります」（女性、40代、移住コーチ、在住期間14年）

教授ビザは、在日ウクライナ人の中で3番目に多い就労ビザとなっています。過去25年間での教員数は横ばいで、年間20～30人にとどまっています。

調査対象者の回答からもわかるように、ウクライナ人の大多数は雇用者としての道を選択しています。このような雇用者の多くはIT技術、マーケティング、貿易や教育（私立の英語学校、中等および高等教育機関）分野に属している一方で、2021年まで日本でのウクライナの知名度は低迷していたため、ウクライナ料理店やウクライナ製品を扱う店舗、ウクライナに着目したエスニックビジネスは見受けられませんでした。

しかし、2022年以降、戦争から避難を強いられたウクライナ人移住者の増加によって、その環境は大きく変化し始めました。実際、2023年8月現在、ウクライナから戦争を逃れ、日本に移住した避難者家族によるウクライナ料理店「Babusya REY」が東京で営業を開始しているのです。

しかし、ウクライナ人の日本への就労移住は、最終的にはウクライナへの帰国を目標とした一時的なものである特徴も見られます。原則として日本に長期滞在する予定にはなっておらず、多くのウクライナ人は日本での就労経験を国際的なキャリア構築の一部として捉えている傾向もあります。

在日ウクライナ人の動向を分析するうえで、高等教育を受け、十分な日本語能力があるにもかかわらず、仕事に就いていない女性調査対象者の割合が高いという点は注視すべきです。このような仕事に対する選択は、回答者によると、自身の仕事に対する消極的な意識よりも、日本人配偶者の「女性は妻と母親であるべき」というようなジェンダーバイアスによるものであり、本人の意志に反している傾向が見られました。

(2) 教育移住

1990年代前半に始まった日本の国際化促進、特に留学生の増加を目的とした政策は、ウクライナ人学生増加にも大きく貢献しました。

日本政府は、2008年に、留学生数を2020年を目標に30万人までに増やす計画を承認し、その目標は2019年に達成され、留学生数は31万2,000人に増加しました（文部科学省2020）。

しかし、新型コロナウィルス感染症拡大と2019年4月から2022年4月にかけての外国人の入国制限導入によって、2021年の留学生数は24万人までに落ち込んだのです[13]。

最新の報告によると、政府は再度2027年までの期間に留学生数を30万人まで増やすことを計画しています。少子高齢化が進み、日本の人口が減少する中で、国として長期的な社会経済発展を遂げるうえで、海外からの留学生は人材を確保するための一つの重要な対策となっています。そのため、日本の出入国管理および難民認定法は、日本の大学や語学学校で教育を受けている学生が、プログラム修了と同時に母国に帰国することなく就労ビザを取得できるように設計されたのです。

これらの政策は、ウクライナの12の大学で日本語を学ぶウクライナ人学生にも適用されています。

ウクライナと日本の関係が構築されて以降、無償で日本の高等教育を受けることが可能になり、発展途上国の優秀な学生、研究者、教員が奨学金を受け取ることができる日本の文部科学省の制度は、ウクライナ人の日本への教育移住において重要な役割を果たしています。この制度は、日本を専門とする学者とそれ以外の人道的・技術的な分野の専門家のために設計されました。また、日本の言語、文化や技術の海外普及促進に関心のある日本の大学は、ウクライナの大学との短期および長期の交換留学の制度も推進しています。

それ以外にも世界各国での日本語教育と学習を支援する日本最大の組織の一つである国際交流基金の支援プログラムは、多くのウクライナの学生や大学院生、教員によって活用され、法務省によると、2019年にウクライナからの研究員は8人、

注13）新型コロナウィルス感染症拡大によって2020年の学生数は10%減少し、約28万人に達した。

学生は124人在籍していました[14]（法務省 2022)。調査に参加した47人の中でも16人がこのような政府の制度、または交換留学の制度を活用して来日し、うち12人はプログラム修了後に就職、インタビュー時点で2人が継続して科学の学位取得に取り組んでいます。

このような高水準の教育、日本への留学経験、および中級レベルの日本語の知識は、ウクライナの学生にとって日本社会においての社会的流動性を実現しています。ウクライナに比べて高給の労働を可能にするからです。

写真2-1「東京ウクライナ・パレード」(2019年)

（写真提供：NPO法人日本ウクライナ友好協会 KRAIANY）

(3) 家庭環境による移住

1998年以降、日本人との婚姻によって取得が可能になる配偶者ビザの取得割合が増加しました。1998年に発行された配偶者ビザ数は81件（全ビザ数のうちの24.8%）となっていましたが、2006年には587件（37.1%）とピークに達しました。配偶者ビザの保有者の大多数は女性でした。そして、2007年以降、ウクライナ人と日本人の婚姻件数は徐々に減少し、年間平均のビザ発行数は270～290件(15～20%)になっています。

1998年以降は、ウクライナ人と日本人との家族が増加するにつれて、永住者数も増加しました。日本の入国管理法では、永住許可は、10年間の日本での居住期間、

注14）学生や研究員の在籍者数は、2020年3月以降新型コロナウィルス感染症拡大によって、研究および研究を目的とした入国許可が制限されていたため、2019年のデータを使用。

または日本国籍保有者と3年間の婚姻期間を経て取得が可能になります。

1998年の永住者は2人だったのに対し、2006年には179人、2010年には536人に増加したのです。現時点ではウクライナ人移住者の全体数は少ないものの、51%（947人）が永住者の在留資格を保有しています。これらはウクライナ人が移住するうえで、日本での経済的および社会的生活水準が快適であることを示していると言ってよいでしょう。

3. 日本の中でウクライナ人が文化的な教育を受けるために

2023年4月の時点で、日本には、ウクライナ人によって構成された組織が存在しています。東京を拠点とする「NPO法人日本ウクライナ友好協会KRAIANY」、「一般社団法人ジャパン・ウクライナパートナーズ」、名古屋を拠点とする「NPO法人日本ウクライナ文化協会」（JUCA）の3つが主な組織です。

さらに、2022年2月のロシアの全面的な侵攻を受け、ウクライナ支援やウクライナ情勢の発信を行っている「Stand With Ukraine Japan」（東京）、そして「福岡県ウクライナ協会」（福岡）が誕生しました。

また、2023年4月までに、3つのウクライナ日曜学校が開校しています。

東京の「ジェレルツェ」（2009年設立）と「ホロバチョク」（2019年設立）、名古屋の「ベレヒーニャ」（2021年設立）の3校です。

さらに、2007年には東京に日本唯一のウクライナ正教会が、ウクライナ人コミュニティによって設立されています。

写真 2-2 東京にて在日ウクライナ人が祝う「ヴィシヴァンカの日」（2020 年）
（写真提供：「NPO 法人日本ウクライナ友好協会 KRAIANY」）

写真 2-3 NPO 法人日本ウクライナ文化協会によるウクライナ文化祭
（写真提供：「NPO 法人日本ウクライナ文化協会」）

4. ウクライナ日曜学校

日曜学校の活動の特徴は、日本で初めて開校したウクライナ日曜学校「ジェレルツェ」を基に詳しく説明をしていきます。なお、「ジェレルツェ」の教師は筆者の研究に積極的に参加してくれました。

写真 2-4 ウクライナ日曜学校「ジェレルツェ」(2021 年)
(写真提供：ウクライナ日曜学校「ジェレルツェ」)

1995 年から日本に在住するウクライナ日曜学校「ジェレルツェ」の創設者は、次のように語っていました。

「この学校の目的は子どもたちが自分たちのルーツを守り、ウクライナのことを知り、そしてウクライナ人としての誇りを持ち、言語と文化を守ることです」(Квасниця, Дзябко 2020)。

この女性は自ら日本で 3 人の子どもを育てた経験者として、日本でどれだけウクライナ語とウクライナの歴史を守っていくことが難しいかを理解していました。この次世代の子どもたちのウクライナ人としてのアイデンティティを守ることが、彼女が他の保護者と連携し、2009 年にウクライナ日曜学校を開校する動機となったのです。学校の教師は、主に開校したばかりの頃に入校した生徒たちの母親が務めていました。

開校以来、この学校はウクライナ語を学ぶだけではなく、ウクライナの文化と伝統を広める場にもなっていました。「日本ウクライナ友好協会 KRAIANY」とともに、学校教師は積極的にウクライナの伝統衣装の「ヴィシヴァンカ」で教壇に立ち、パレードやウクライナ民芸のクラス、アマチュアやプロフェッショナルのアーティストの作品展示会、コンサート、毎年恒例のウクライナフェスティバルなどを開催しているのです。

写真 2-5 日曜学校「ジェレルツェ」と NPO 法人「KRAIANY」による
ウクライナ詩人レーシャ・ウクライーンカ誕生 150 周年記念イベントのチラシ（2021 年）
（デザイン：アンナ・ポポヴァ）

学校の子どもたちは日常生活では日本語を話す環境にいるため、保護者や教師は子どもたちに積極的にウクライナ語でコミュニケーションを取ることを心がけていました。ウクライナ語を学ぶように促すことは依然として大きな課題だったのです。そのため、この学校では芸術を通してウクライナ語を教える方法も取り入れ、劇場スタジオ「ルコツヴォリ（Rukotvory）」を設けたり、創作ダンスグループを立ち上げたりもしていました。

開校当初は5～6人の生徒がいましたが、近年は年間30人にまで増えてきました。生徒は2歳から受け入れています。中には、日本とウクライナの両親を持つ子どもや、両親が仕事の関係で日本に移住してきたウクライナ人の子どももいます。

ウクライナ人の新たな移住の波とともに、さまざまな年齢の子どもたちが入学し、2022年7月の時点で生徒の数は約2倍の50人になりました。新しく入った子どもたちの中には、ロシアによる軍事侵攻の後、ウクライナにある家を失った子どももいます。

学校の教師によると、新しく到着したウクライナ人は、日本語を話す環境の中で「コミュニケーション飢餓」、いわゆるコミュニケーション不足を感じており、ウクライナから日本に突然移動を強いられた子どもたちは精神的障害に苦しんでいるケースも少なくありません。

2023年になってからは、ウクライナとロシアの全面的な戦争の最中、学校の目標は日本でウクライナ語を話す環境を作ることだけでなく、精神面でも子どもたちをサポートし、生徒が感情表現できる機会を与えることも含まれるようになってきました。そのためにも学校は演劇や創作ダンスに熱心に取り組んでいるのです。

同時にウクライナ日曜学校「ジェレルツェ」は、新たに日本に到着したウクライナ人のための情報支援の場所としても機能しています。学校は「NPO法人KRAIANY」と連携してウクライナからの避難者を支援するため、日本政府やその他団体からの情報提供を受け、ウクライナの人々が日本で生活する際の文化的、社会的観点での困りごとを解決するための相談支援も行っているのです。

ウクライナでの状況が不安定であるとともに、避難者が日本に滞在する期間を明確に定めることができないことから、彼らが慣れない日本社会で快適に生活していくためにも、親と子どもの両方が包括的な支援を必要としているのが現状なのです。

写真 2-6 千葉県千葉市にてウクライナ支援コンサートに
ウクライナ日曜学校「ジェレルツェ」の生徒が参加（2023 年）
（写真提供：ウクライナ日曜学校「ジェレルツェ」）

5. 2022 年3 月以降の在日ウクライナ人コミュニティの変化

ロシアによる全面的な軍事侵攻が始まってから、ウクライナ人は歴史上最大の人道的危機に直面し、たくさんの人々が国外への避難を余儀なくされています。国連難民高等弁務官事務所（UNHCR 2023）によると、ロシアによるウクライナでの戦争の結果、自分自身と家族の命を守り、占領者による暴力の脅威を避けるために、すでに 900 万人以上が国外に避難しているといわれています。

膨大なウクライナ避難者を受け入れることは、ポーランドをはじめとする多くのヨーロッパ諸国にとって重要な課題となったといってよいでしょう。同じように日本政府もウクライナの悲劇に共感し、2022 年 3 月 2 日からウクライナ国民の一時的な避難のために受け入れを開始しました。避難民を受け入れるため、日本政府は新型コロナウィルス感染症流行による入国制限があったにもかかわらず、ウクライナ人に対して欧州の大使館での申請、および 90 日間の滞在が可能になる短期滞在ビザの発給要件を緩和しました。

入国後、発給要件が緩和された特定活動（1 年）の在留資格を取得することで、日本での就業と社会保険へ加入できる機会が与えられたのです。また、在留期間が終了した場合でも、ウクライナでの軍事情勢によっては在留期間を延長することが可能です。つまり、特定活動の在留資格は1年間有効ですが、状況に応じて期間を延長することも可能になっています。

日本が1975年にインドシナ難民の大量流出を契機に加入した「難民の地位に関する1951年の条約」でも、今日のようなウクライナ避難民の受け入れは例外的な政治判断といってよいでしょう (Strausz 2012)。同時に、現在のウクライナ人の受け入れは、インドシナ難民とは根本的に異なっているということも併せて考えなければいけないと思っています。

1951年の難民条約によると、難民は「人種、宗教、国籍もしくは特定の社会的集団の構成員であることまたは政治的意見を理由に迫害を受けるおそれがあるという十分に理由のある恐怖を有するために、国籍国の外にいる者であって、その国籍国の保護を受けられない者またはそのような恐怖を有するためにその国籍国の保護を受けることを望まない者」と定義されています (NHCR 2007)。

つまり、国際法によると、難民とは特定の国の国籍を持たない人々のことです。

一方で、国外で一時保護のステータスを求める（亡命希望者、asylum seeker）場合は、通常次のような外部要因があります。外部からの侵略行為、占領、内戦、民族間の衝突、自然災害または人災 (UNHCR 2022)。

つまり、今のウクライナの状況は亡命希望者が一時的保護を求めるケースにより近いのです。そのため、日本に避難を求めるウクライナ人は、難民ではなく、避難者としてのステータスが与えられています。これらのことから、日本政府の政策は、ウクライナ人が短期で滞在し、その多くの人々がロシアによる軍事侵攻終了後にはウクライナに帰国することを想定したうえでのものだということが推測されるのです。

現在の日本政府はウクライナからの避難者に対して多面的な支援を行っています。生活するうえで不可欠なもの（住居、医療、子どもの教育等）をはじめ、語学を学ぶための支援や社会に馴染むためのプログラム、さらに心理的な支援を提供しています。しかし、ウクライナ人に対する受け入れプログラムは、今までのアジア圏からの難民受け入れ経験とは異なり、特例処置でもあるため、社会的、経済的支援は確立されておらず、地方自治体によって異なるケースも少なくありません。

経済的支援の文脈の中では、日本財団がウクライナ避難者に対して経済的支援を行っているもっとも大きな団体となっています。2022年4月末以降から日本に避難し、かつ身元保証人（ビザ申請時に日本に在住する人）がいる場合に日本財団に申請することが可能になり、身元保証人が支出した渡航費や日本での生活と住居を確保するための支援を受けることができるのです（日本財団2022）。

雇用面では、新たに避難してきたウクライナ人の雇用支援をするために、東京と大阪のハローワークがウクライナ避難者のための相談窓口を設置しています。ウクライナ人に対する情報メディア面での支援も目立ち始めています。例えば、NHKの国際サービスはウクライナからの避難者向けのウェブサイトを開設し、日本での生活に関する情報や日本語学習プログラムを提供。また、NHKの国際サービスのテレビチャンネルでもウクライナ語版のウェブサイトが開設され、サイト上で人工知能を活用して追加されたウクライナ語の字幕をつけ、日本のニュースを読んだり視聴したりすることができるのです。

2023年2月現在、日本の83の大学が、学生の安全な教育環境を確保するために、特例として、ウクライナの学生と大学院生の受け入れを表明しています。また、日本語学校でも100人のウクライナ人学生を無償で受け入れる準備ができていることを発表しています（日本学生支援機関2023）。その結果、ロシアによる本格的な戦争が開始してから1年間で日本は423人のウクライナ人留学生を受け入れました（読売新聞2023）。

このような受け入れを実現するための資金確保には、クラウドファンディングが活用されています。日本政府が外国人労働者、特に学生数を増やすことに関心があるという点と、調査対象者の経験談から考えると、十分な日本語能力と日本社会に馴染む意欲を持つ学生は、2年以内に優秀な人材・専門家としての労働力になりえるといえるでしょう。

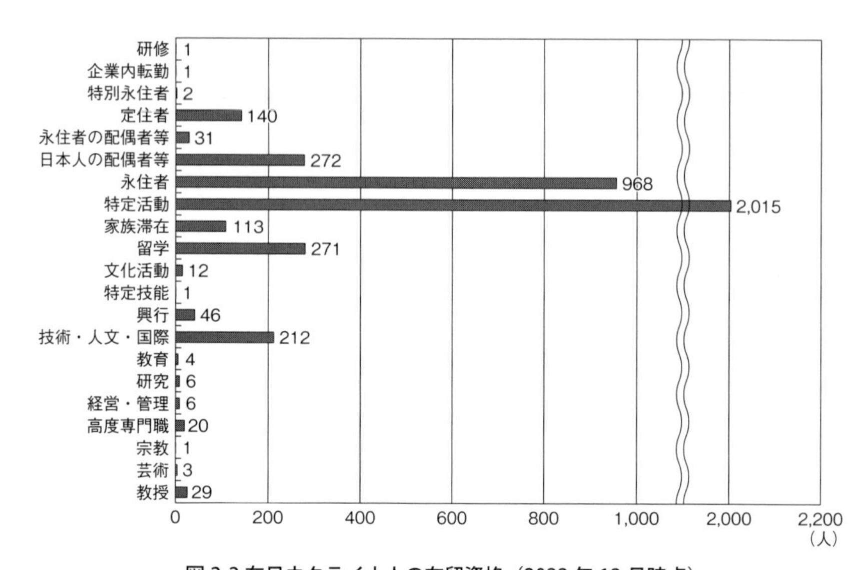

図 2-2 在日ウクライナ人の在留資格（2022 年 12 月時点）

出典：法務省「在留外国人統計」2023 年より著者作成

このように、日本は、政府をはじめ、教育施設など民間組織レベルでも、ウクライナ人が日本社会に馴染み、快適な生活が送れるよう対策を進めています。その結果、日本は戦争からの一時的な避難先としてウクライナの人々にとって魅力的な国になっているのです。

法務省（2022）によると、2022 年 12 月時点で在日ウクライナ人の人口は 4,158 人（女 3,098、男 1,060 人／全移民のうち 0.1%、欧州からの移民のうち 4.5%）でした。2023 年 2 月の時点では、2,300 人以上が日本に避難しており、その人数は 2022 年 2 月までの在日ウクライナ人の全体数を超えています。同時に、日本が受け入れたウクライナ避難者の数は、1975 年から 2005 年の間に受け入れられた 1 万 1,000 人のインドシナ難民に次ぐ数になっているのです。

日本のウクライナ避難者に対する手厚い支援と高い経済的・社会的生活水準は、戦争から逃れるウクライナ人の増加を促進するであろうと考えられています。

上記のように、日本は、ウクライナ人の移住先としては比較的新しい場所です。日本における外国人全体の人数に占めるウクライナ人の割合は 0.1%。一般的にウクライナ人は労働または経済的な理由で移住します。同時に日本社会へ溶け込む過程で、大きな割合を占めている労働移住は家族滞在へと変容しています。在日ウクライナ人は、一般的に高い教育水準と専門的なスキルを備えていることが特徴として挙げられ、2006年以降、高度な専門性を有する日本の人材の中での比率は着実に増加しています。日本の人口構成に占めるウクライナ人移民の割合は少ないのですが、ウクライナ人の約半数が永住権を取得しているという事実は、長期滞在先として日本が適していることを示しており、日本の社会・経済生活の高い水準はウクライナ人が移住する先としては、総じて良い地域であるといえるでしょう。

2022年3月以降、ウクライナ人は主に一時的に避難するため日本に入国しており、新たに到着したウクライナ人の中では女性や子どもが圧倒的に多く、また、特別な条件のもとで日本の大学や語学学校へ入学にする留学生も高い割合を占めています。

一方で、日本への避難を決めたウクライナ人は、慣れない日本社会で言語や文化面で大きな課題に直面しています。日本においては、ウクライナが持つ歴史や文化はほとんど知られていないと感じます。それらはロシアによるウクライナ戦争開始以前のウクライナについての日本の研究の少なさや、本調査での調査対象者からの回答結果からも明らかになっています。

3章 ウクライナ人の宗教とアイデンティティ

宗教は重要なアイデンティティ指標として機能するため、本章では、日本に住んでいるウクライナ人のアイデンティティ形成における宗教の役割について検討します。まず、ウクライナにおけるキリスト教史の概要を紹介し、次に在日ウクライナ人のアイデンティティ指標としての宗教の役割を明らかにし、最後に、日本の中でウクライナ正教会がどのように設立されたかを解説します。

1. ウクライナにおけるキリスト教史の概要

日本では、一般の日本人の間で「正教会はロシアだけを起源としている」という考えが広まっています。もちろん、これは長年にわたる日露関係や、19世紀から続くロシア正教会の存在に起因するものです。ウクライナ正教の歴史はあまり知られていないので、東方正教会の伝統が根づく近代ウクライナのキリスト教の歴史の大きな流れについて、簡単に紹介します。ウクライナのキリスト教は、9世紀にキーウを中心に形成された東スラブ諸民族の最初の君主制国家であるキーウ・ルーシの時代にルーツを持っています。

第1章で記載したように、988年、ヴォロディーミル大公（在位980～1015年）がキリスト教に改宗し、キーウ・ルーシの人々をキリスト教化したことが、キーウ・ルーシにおけるキリスト教化の始まりとなっています。この出来事は、この地にキリスト教を広めた長い歴史を決定づけるものであると同時に、当時の東ヨーロッパ最大の国家の一つが文明的な選択をしたことを象徴しています。

キリスト教は単なる個人間の問題ではなく、キーウ・ルーシの地政学的状況やブルガリア・ポーランド・モラヴィアといったキリスト教圏の近隣諸国からの影響を踏まえて、国家建設に重要な役割を果たすようになりました。

そのため、988年のキーウ・ルーシのキリスト教化[15]は、東方正教会の伝統に根ざし、教会スラブ語を典礼語とするウクライナ教会（ウクライナ正教、後にウクライナ・ギリシャ・カトリック）の始まりを象徴する行為となりました。その年にキーウに府主教庁が設立され、989年にはキーウで什一聖堂と呼ばれる最初の教会が建設されました。

ヴォロディーミル大公の時代から、そしてルーシにおける教会の設立から、キーウの府主教庁はコンスタンティノープル総主教庁の管轄下にありました。

Gudziak（1998）が述べるように、階層的に従属し、精神的に恩義があり、文化的に依存し、典礼的に統合されたキーウは、より大きなビザンチン正教世界の強固な一部であった。

同時に、ドミトロ・ステポヴィク（Степовик 1993）は、「キーウの教会は、カルパチア山脈やバルト諸国から東に住むすべての人々にとっての母教会である」と述べています。

キリスト教の侵入はキーウ・ルーシの文化の発展に大きな影響を与え、特に古代ギリシャ・ローマ・ビザンチン文学からの宗教的な翻訳書や、イラリオン府主教による『律法と恩寵についての講話』（1037～1050年）[16]、ネストルとシルヴェストルの著作とされる『原初年代記』（1110年代）[17]、『キーウ洞窟修道院聖者列伝』（1215～1230年）[18]などのウクライナ独自の文学が誕生したのです。

当時のキリスト教と国家の権威を主張するために多くの教会が造られました。その中でも、現代まで残り、キーウ市にある「聖ソフィア大聖堂」（1037年）と「キーウ・ペチェールシク大修道院」（1051年）、またチェルニヒウ市にある「聖パラスケヴァ金曜日教会」（12世紀末）などがその象徴でしょう。

注15）東西教会の分裂と呼ばれるローマカトリックと東方正教会が誕生する分裂は、1054年に起こった。

注16）『律法と恩寵についての講話』（*Sermon on Law and Grace*）は古代ルーシ（古代ウクライナ）最初の弁論記念碑。キーウ・ルーシ最古の文献で、11世紀の神学書。

注17）『原初年代記』（*The Tale of Bygone Years*）はおよそ850年から1110年までのキーウ・ルーシの歴史について記された初年代記。

注18）『キーウ洞窟修道院聖者列伝』（*Kyivan Cave Patericon*）はキーウ洞窟修道院の修道士にまつわる物語集。

写真 3-1 聖ソフィア大聖堂（1037 年）
（写真提供：ユリアーナ・ロマニウ）

1240 年のモンゴルによるキーウ・ルーシ侵攻により、キーウ・ルーシは政治的・経済的・文化的に国家として存続できなくなり、ハールィチ・ヴォリーニ、ヴォロディーミル・スーズダリ、ノヴホロドなど別々の公国に分裂しました。キーウ・ルーシの崩壊や公国の分割によって、キーウ府主教庁はヴォロディーミル市に移転することになったのです。

キーウ・ルーシの後継国家であるハールィチ・ヴォリーニ大公国は 1349 年にポーランド王国とリトアニアの諸公の軍勢によって侵略され、分割されました。しかし、キーウ・ルーシの国家がなくても、キーウの府主教庁は存在し続け、1686 年までコンスタンティノープル総主教庁の中で自治を保っていたのです。

15 世紀に入ると、ビザンチン帝国はオスマン帝国から激しい攻撃を受け始め、普遍的なキリスト教の首都であるコンスタンティノープルが帝国の権力を失いました。オスマン帝国によって東方キリスト教世界が征服された際、モスクワ大公国は 1448 年にコンスタンティノープル総主教の許可なしにモスクワ府主教の任命を開始し、イオナを「全ルーシの府主教」と独自に選出しました。角 茂樹（2022）が指摘しているように、これは教会法上、違法な特命です。

1448 年から 1589 年までの 141 年間、モスクワ正教会は認められずに存在していた一方、その頃のモスクワ大公国はイヴァン 3 世の元でキプチャク・ハン国から独立し、強力な国家となっていきました。そして、1453年にビザンチン帝国が陥落し、コンスタンティノープル総主教庁の権力が弱まったことをきっかけに、イヴァン3世は自分をビザンチン帝国の後継者であると宣言したのです。

モスクワ帝国が次々に東欧で各国の勢力を抑えた結果、1589年にモスクワ総主教は独立ができたと見なされています。しかし、ここで重要なことは、実際にはロシアの正教会はコンスタンティノープル総主教庁に独立のトモス（正教会の公布文書）を受けていなかったということです。イェレミアス2世コンスタンティノープル総主教が、この正教会を総主教庁にまで引き上げることで事態の正常化を行い、その際、モスクワの主教に総主教を「名乗る」ことを認めたのです（ウクルインフォルム 2018)。

16世紀末、現代ウクライナの領土はポーランド・リトアニア共和国の一部でした。ポーランド・リトアニア共和国の正教会とカトリック教会の統一により、ギリシャ・カトリックと呼ばれる新しいキリスト教会が登場しました。この教会は、ポーランド・リトアニア共和国[19]の支配下にあった現在のウクライナ・ポーランド・ベラルーシのカトリック教会と正教会を統合した1596年のブレスト合意の結果として誕生し、ローマ教皇クレメンス8世によって承認されました。ギリシャ・カトリック教会は、正教会の伝統と典礼を持ちながら、ローマ教皇の権限を認めているため、東方教会とのハイブリッドと評されています。それ以来、ギリシャ・カトリック教会はウクライナの教会史において重要な役割を果たしており、特にウクライナ領がオーストリアの支配下にあった時代（1772～1918年）にはとても重要な役割を果たしています。

中世において、文化的アイデンティティの保持という問題は、主に宗教的な領域で展開されていました。なぜなら、正教会は文化と同じように考えられ、自国の国家がない中で民族のアイデンティティを保持するための最後の砦であったからです。

15世紀から16世紀にかけて、ほとんどの正教徒が各地の言語で聖書を読めるようになると、ウクライナ正教会は典礼の言語としてウクライナ語を使うことを公然と支持しました。例えば、『アポストロ・クレヒウスキー』（*Apostol*

注19）ポーランド・リトアニア共和国（1569～1795年）は、ルブリン合同（1569年）によって成立した君主制国家である。公用語はポーランド語とラテン語。

Krechowski）[20]（1560）や『ペレソプニッツャ福音書』（*Peresopnytsia Gospels*）（1561）は、昔のウクライナ語で書かれた紛れもない聖典だと考えられています。

また、イヴァン・フェドロウの『アポストロ』（*Apostol*）（1572）など、中世の写本は教会スラブ語で書かれていますが、中世におけるウクライナ語の音韻・文法的特徴を多く含んでいるのです。

ウクライナの領土がどのような支配下にあったとしても、教会は教育の普及に主導的な役割を果たし、国内の有力者たちによって支援されていました。そのため、1580年、コステャンティーン・オストロジキー（1526～1608年、ルテニア[21]の正教会の貴族）が科学教育センター「オストロフ・アカデミーを開設、印刷所を設立し、1581年には教会スラブ語による初の聖書全巻を印刷しました。

後にへーチマンと呼ばれるコサック国家を樹立したコサックたちは、ウクライナ正教会の擁護に努め、ウクライナの民族復興を推進しました。

写真3-2 ドロホブィチの聖ゲオルギオス聖堂（16世紀）[22]
（写真提供：ユリアーナ・ロマニウ）

注20）使徒言行録の翻訳。
注21）当時のロシア（モスクワ大公国またはモスコヴィア）とは異なる点に注意。
注22）2013年に世界遺産として登録されているポーランドとウクライナのカルパティア地方の木造教会群16棟のうち1棟。

また、歴史上、教育を受けた聖職者たちは、キリスト教を通じて民族意識を維持しました。キーウ府主教であったペトロ・モヒーラ（1632～1647年）は、正教会の改革に着手し、モヒーラ・コレギウムを設立、後に東欧でもっとも強力かつ最大の教育拠点であるキーウ・モヒーラ・アカデミーに発展したのです。

20世紀初頭のウクライナにおける教会と民族復興のシンボルは、1900年から1944年までウクライナ・ギリシャ・カトリック教会の大司教を務め、多くの神学院や神学アカデミー（1926年）、ウクライナ知識人の組織であるウクライナカトリック連合を設立したアンドレイ・シェプティーツキー（ギリシャ・カトリック教会）です。当時、18世紀に造られたリヴィヴ市にある聖ユーラ大聖堂はウクライナ・ギリシャ・カトリック教会の本山とされ、「ウクライナのヴァチカン」と呼ばれました（Dzyabko, Kvasnytsya 2020）。

写真3-3 聖ユーラ大聖堂（1744年）
（写真提供：ユリアーナ・ロマニウ）

1648年にヘーチマンのボフダン・フメリニツキーの指導のもと、民族解放闘争が開始されました。その際、ポーランド・リトアニア共和国からの独立を目指す中で、フメリニツキーはモスクワ大公国と軍事同盟を結び、1654年に「ペレヤスラウ協定」を締結しましたが、これは結局ウクライナにとっての罠と化しました。

右岸ウクライナは当時のバラバン府主教が率いていたキーウの府主教庁ととも

にポーランド・リトアニア共和国の一部となり、左岸ウクライナはヘーチマン国家とも呼ばれ、モスクワ大公国の影響下に置かれるようになりました。

教会は当初からモスクワ大公国のツールであったため、モスクワ大公国はウクライナ教会をコンスタンティノープル総主教の権威から引き離し、モスクワ総主教に従属させようと圧力をかけたのです。1686年にキーウの府主教庁はモスクワ総主教庁の管轄下に置かれ、コンスタンティノープル総主教庁の承認なくモスクワ総主教庁に従属することになりました。その結果、ロシア支配下のウクライナ教会は独立性を失い、ロシア化の過程をたどったのです（Subtelny 1991）。

その際、注意すべきは、ロシアの歴史観はウクライナの歴史観と異なるため、ロシアはウクライナ領土が1654年にモスクワへの隷属に移行されたことについて、異なる解釈をしている点です。

ウクライナの歴史学者ミコラ・コストマロウ（1817～1885年）が「破滅の時代」（The Ruin）のはじまりと呼んでいる「ペレヤスラウ協定」は、ロシアの中では、同じルーシにルーツがあり同じ正教国家であるウクライナとモスクワ大公国と統一したという意味を持っています。

例えば、ソ連の百科事典（Голубицкий 1962）の中で、「ペレヤスラウ協定1654」という項目では、「その日にウクライナとロシアは統一した」、または「ウクライナがロシアに統一されたことは兄弟的民族の結合と友好を強化した」と記載されています。同様に、1686年の出来事はモスクワ総主教庁にとって、歴史的な故地を取り戻すことに成功したと理解されているのです。

このようなロシアの歴史認識に関して、中井和夫（1998）は、モスクワ大公国がロシア帝国へと発展する契機となったのは17世紀におけるモスクワ大公国によるウクライナ合併であったため、ウクライナなくしてロシアは成立しなかったと述べています。ちなみに、ロシアが長い間押しつけていた「ウクライナ人とロシア人は兄弟民族である」という作り話も1654年に締結されたペレヤスラウ協定に結びいているのです。

1795年に第3次ポーランド分割によってポーランド・リトアニア共和国の領土は3つの大国に分かれます。ポーランド・リトアニア国の領土の62%と人口の45%がロシアに、領土の18%と人口の32%がオーストリアに、残りがプロイセンに移りました。こうして、ハルィチナとブコヴィナのウクライナ人はオーストリア（後のオーストリア・ハンガリー帝国）の支配下に、そしてウクライナの右岸と左岸全体はロシア帝国の支配下に置かれたのです。

写真 3-4 世界遺産ブコヴィナ・ダルマチア府主教の邸宅（1864 ～ 1882）[23]
（写真提供：ユリアーナ・ロマニウ）

前記のような歴史上の出来事にもかかわらず、ウクライナ正教会はウクライナの文化的・民族的アイデンティティを代表する存在であり続けました。

1917 年にロシア帝国が崩壊すると、ウクライナの国家であるウクライナ人民共和国が復興しました。正教のウクライナ化とロシア教会との断絶が進められ、1918 年にキーウの全ウクライナ教会会議は、政府に代わってウクライナ正教会の自治を発表したのです。

その結果、当時のウクライナにはロシア正教会とウクライナ独立正教会の 2 つの教会が存在することになりました。

当時、ウクライナ正教会は、言語の面でもウクライナ化に関連していました。特筆すべきことは、ウクライナ正教会が典礼言語としてウクライナ語を使うことを公然と支持していたのに対し、ロシア正教会は典礼を古くからの教会スラブ語で維持し続けてきたことです。

したがって、典礼の言語は、歴史を通じて常にウクライナ正教会とロシア正教

注 23）1956 年以降はチェルニウツィー大学の建物として使われている。

会の伝統の違いの一つでした。ウクライナ人のイラリオン府主教[24]は「母語は神への道である」「母語で典礼を聞かない人々は、まるで獄舎を通して神の世界を賞賛する囚人のようだ」と述べています（Огієнко 1995）。20世紀初頭、イラリオン府主教は、ウクライナ正教会がウクライナ人に教会を築くためのアイデンティティを与え、教会は信者にとって、主にすべての人が話す言語によって利用できることを強調しました。

1922年、ソ連が台頭し、ウクライナ国家を服従させ、ウクライナ正教会は破壊されました。この時から、ロシア正教会は1943年に設立された行政機関であるロシア正教会事務評議会に届け出を行うようになりました。ロシア正教に改宗しない者は、すべて迫害され、滅ぼされたのです。

『ウクライナ百科事典』（Енциклопедія України 1949）によれば、1944年にソ連当局はハルィチナ地方とザカルパッチャ地方の聖職者の逮捕を開始。アンドレイ大司教（1944年11月1日に死去）の後継者であるヨシフ・スリピー大司教と、ロシア正教に改宗しなかったすべての司教と司祭たちが逮捕され、国外追放されました（1945年）。

第二次世界大戦終了後から1990年まで、ウクライナ正教会とウクライナ・ギリシャ・カトリック教会は、教会が奪われ聖職者が弾圧され、あるいはモスクワ総主教庁系正教会に移行したことから、法的には存在せず、ウクライナではほとんどディアスポラ教会として、地下で活動を続けていたのです。

今回の研究のためのインタビュー回答者は、ソ連時代の教会について次のように述べています。

「私の祖母たちはかなり信心深いです。彼女たちは、そのようにいることが可能になった91年以降に信心深くなりました」（男性、30代、ウクライナ中部出身、教師、不可知論者）

注24）イラリオン府主教（俗名：イヴァン・オヒエンコ）（1882～1972年）は、ウクライナ正教会の府主教・教会史家・政治家で、1921年にソ連に併合された前後のウクライナにおいて、ウクライナ正教会がロシア正教会から独立して存在する権利を証明しようとした。1951年、ウィニペグの府主教に選出され、カナダ・ウクライナ正教会のトップに就任した。

「私が小さい頃は、キリスト教の祝日は祝わず、何も祝いませんでした。ウクライナの伝統はまったくありませんでした。学校に行くと、3年生か4年生あたりのどこかで、4月だったと記憶していますが、先生が『明日は何の祝日ですか』と聞くんです。そして、ある子が『イースターです』と言いました。すると、先生は『なぜレーニンの誕生日だと言わなかったんだ？』と言いました。4月20日でしたが、誰かがイースターと言った時、それがどういう状況で、どういう雰囲気だったか、想像できますか。それで、その子と親が学校に呼ばれて、『この子はレーニンの誕生日ではなく、イースターと言った』と大騒ぎになったのです。私たちはそんなお祝いはしませんでしたが、父はいつも祖母、つまり私の曾祖母のことを思い出していました。ザポリージャ出身でしたがドネツィク地方に埋葬されたことはお話ししたと思います。そして、父はいつもウクライナ語で曾祖母のことを話していました。つまり、曾祖母は伝統や格言を父に教えて、父はそのすべてを私に教えてくれましたが、私たちにそれを祝うようにとは言いませんでした。」（女性、40代、ウクライナ東部出身、通訳者・翻訳者、正教徒）

つまり、ソ連時代のウクライナ共和国では（ソ連全体においても）キリスト教世界は激しい弾圧を受けたため、自分自身がキリスト教徒であることについて心を開いて話すことは危険だったのです。

2. 独立後のウクライナにおけるキリスト教

以上のように、ウクライナ正教会には長く複雑な歴史がありますが、その歴史の中で常にウクライナのアイデンティティにおける重要な役割を担ってきました。2015年に実施されたPew Researchによると、ウクライナは総合的な宗教性においてヨーロッパ34カ国中11位にランクされています。調査によると、ウクライナ人の22%にとって宗教は非常に重要であり（宗教の重要度ランキング）、35%が月に1回宗教的な礼拝に出席し、29%が毎日祈っていると答えています。また、約32%のウクライナ人が「神を絶対的に信じている」と回答しています。

ウクライナが独立した直後の1992年からは、ウクライナ国内で3つの正教会が活発に活動しているという珍しい状況にありました。1992年から2018年まで、ウクライナ正教会・モスクワ総主教庁系、ウクライナ正教会・キーウ総主教庁系、ウクライナ独立正教会が存在していたのです。

写真 3-5 キーウ市にあるウクライナ正教会の聖アンドリー協会（1754 年）
（写真提供：ユリアーナ・ロマニウ）

（1）ウクライナ正教会・モスクワ総主教庁系と
ウクライナ正教会・キーウ総主教庁

ウクライナ正教会・モスクワ総主教庁系はモスクワに本拠を置くロシア正教会で、ソ連で法的に認められた唯一の教会でした。しかし、ウクライナが独立すると、独立した政府には独立した教会があるべきだという考えに基づいて、1992年にウクライナ正教会・キーウ総主教庁が設立されたのです。

キーウ総主教庁は、1686年にロシア正教会のモスクワ総主教庁に不法に編入されるまでコンスタンティノープル総主教庁の下に存在していたキーウおよび全ルーシの府主教の後継者として、自らを独立した教会と見なしていました。キーウ府主教のフィラレート[25]はロシア正教会にウクライナ正教会の独立を申請しましたが、ロシア正教会はこれを「分裂主義」とし、独立を認めませんでした。ちなみに、ウクライナ正教会・キーウ総主教庁の母教会は、キーウの聖ヴォロディーミル大聖堂にあります。

写真3-6 テルノピリ市にあるウクライナ正教会の降誕教会（1602年）
（写真提供：ユリアーナ・ロマニウ）

注25）キーウ総主教フィラレート（俗名：ミハイロ・アントノヴィッチ・デニセンコ、1929年生まれ）は、ウクライナ正教会・キーウ総主教庁の総主教（1995～2018年）である。

(2) ウクライナ独立正教会

ウクライナで認められていなかったもう一つの正教会は、1917年に設立され、1922年以降は亡命して存在していたウクライナ独立正教会です。

先述した通り、1917年から1921年にかけて、ウクライナ国家であるウクライナ人民共和国が復興し、正教のウクライナ化、ロシア教会との断絶が進められました。そのため、1918年にキーウの全ウクライナ教会会議は、政府に代わって、ウクライナ正教会の自治を発表しました。同年、ロシア正教会評議会はウクライナの自治を認めました。

そして1919年に、ウクライナ人民共和国がウクライナ教会の自治独立化を発表し、1921年にウクライナ独立正教会の組織化に関する法令が出されたことによって、ヴァシリ・リプキウシキー府主教が代表となったのです。ウクライナ人民共和国はボルシェヴィキ赤軍と3年間（1918～1921年）戦いましたが、独立のための戦いに敗れました。そのため、前述のように1922年、ウクライナ独立正教会はソ連政府によって破壊されたのです（Dzyabko, Kvasnytsia 2020）。

しかし、1991年に当初はアメリカ・ウクライナ正教会を統治していたムスティスラウ（スクリプニク）[26]総主教のもと、国家承認を取り戻しました。

(3)ウクライナ・ギリシャ・カトリック教会

1946年、ソ連当局が教会会議の招集と1596年の「ブレスト合同」の無効化、ギリシャ・カトリック教会とロシア正教会の統一宣言を強行してから1990年まで、ウクライナではその教会が奪われ、聖職者が弾圧され、あるいはモスクワ総主教庁系正教会に移行したことから、ウクライナ正教とウクライナ・ギリシャ・カトリック教会は法的に存在していませんでした。それ以来、ウクライナ・ギリシャ・カトリック教会は、1991年にウクライナが独立を回復するまで、ウクライナ・ギリシャ・カトリック教会はウクライナ独立正教会と同様、地下やディアスポラで存続を続けていたのです。

注26）ムスティスラウ（スクリプニク）（俗名：ステパン・イヴァノヴィッチ・スクリプニク、1898～1993年）は、ウクライナ正教会の総主教で、カナダ・ウクライナ正教会の初代大主教、アメリカ・ウクライナ正教会の府主教、ウクライナ独立正教会の初代総主教である。

写真 3-7 世界遺産リヴィウ市にあるギリシャ・カトリック教会の聖パラスケヴァ教会（「ドミニコ聖堂」とも呼ばれる）（1749 年）[27]

（写真提供：ユリアーナ・ロマニウ）

注 27）1989 年に世界遺産として登録された「リヴィウ歴史地区」に含まれる。

(4) ウクライナにおける近年の情勢

ウクライナの宗教は多様であり、国民の過半数がキリスト教を信仰しています。キーウ国際社会学研究所,ラズムコウ・センター,SOCISが2018年に実施した「ウクライナ国民の宗教および教派的・宗教的自己決定の特殊性：2010～2018年の傾向」という調査では、国民の68.8%が正教の信奉を宣言し（ウクライナはロシアとエチオピアに次いで世界で3番目に多い正教徒数）、約9%がウクライナ・ギリシャ・カトリック教会の信者、1.2%がプロテスタント、1%がローマカトリックの信者と認識しています（Центр Разумкова 2018）。また、世論調査によると、正教を信仰していると答えたウクライナ人のうち、45.2%がウクライナ正教会・キーウ総主教庁の信者であると答え、16.9%がウクライナ正教会・モスクワ総主教庁系の信者であると答えていました。2番目に多いグループは33.9%で、「単に正教徒」と主張している人たちです。

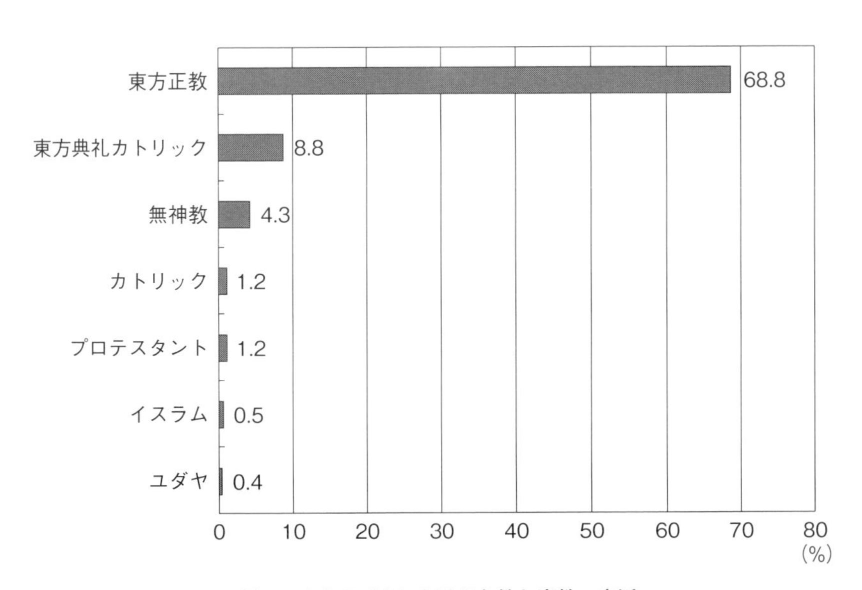

図3-1 ウクライナにおける主教な宗教・宗派

出典：ラズムコウ・センター（2018）

(5) ウクライナ正教会の独立に関するトモス

2014年のロシア連邦によるクリミアの違法な併合とウクライナのドンバス(ドネツィク州・ルハンシク州を含むウクライナ東部)地域の40%の占領は、ウクライナの宗教生活に大きな影響を及ぼしました。

ロシア・ウクライナ戦争が始まった2014年から、ロシア正教会のトップであるキリル総主教は、クリミア併合やドンバスの分離主義運動を公然と支持しました。例えば、2014年のイロヴァイシクの戦い[28]の際には、分離主義者とその支援勢力の隊列にいる「正教会の同胞」と戦うウクライナの「統一派と分裂派」を諫めたのです。さらに、ロシア正教会のキリル総主教は「ロシア世界」思想(ロシア人とはロシア連邦の住民だけでなく、ロシア語・ロシア文化、ロシアの宗教を共有するすべての人々であるとするロシアの政治思想)に従い、ウクライナ人とロシア人は一つの民族であることを何度も主張し続け、ウクライナ侵攻を支持することを明確にしていました。

こうして2014年に始まったロシア・ウクライナ戦争は、ウクライナの宗教生活において主導的な役割を果たさなくなったウクライナ正教会・モスクワ総主教庁系の歴史に大きな変化をもたらしたのです。

ロシアによるウクライナに対する攻撃により、それまで正教会の世界で大きな影響力を持っていたウクライナ正教会・モスクワ総主教庁系は、多くのウクライナ人信者を失い、彼らは一斉にウクライナ正教会に移り始めただけでなく、ウクライナ正教会・モスクワ総主教庁系は戦争を公然と支持する教会として世界に認識されるようになりました。

2022年に元駐ウクライナ日本大使の角茂樹氏が『ウクライナ侵攻とロシア正教会』を出版し、ウクライナとロシアの正教会の歴史を解説し、ロシア・ウクライナ戦争やロシアのプロパガンダ拡散におけるロシア正教会の役割を指摘したことも注目に値します。

注28) 2014年8月7日からウクライナ軍が、親ロシア派に占領されているドネツィク州イロヴァイシク市の奪回を試みた戦闘。8月24日から26日にかけてウクライナ軍はロシア軍の参戦によって包囲された。ロシアのプーチン大統領の同意のもとでウクライナ軍は撤退が許されたが、ロシア軍は合意を守らず、脱出中にウクライナ軍兵士を攻撃した。その結果、366人のウクライナ兵が死亡し、429人が負傷した(Тесленко 2019)。

ロシア帝国やソ連と同様に、ロシア連邦も常に多民族・多宗教であったにもかかわらず、多くのロシア人にとって、ロシア人とは民族的なロシア人ではなく、ロシア語話者、そしてロシア正教会の教徒であることを強調する必要があります(Gaufman 2019)。

したがって、ウクライナ人が1991年の独立以前に継続的に経験し、現在ではいわゆる「ロシア世界」の典型として一時占領地で続いていた宗教的差別が、ロシアの地政学や世界秩序観と関連しているのは明白でしょう。社会学的研究によれば、占領地におけるさまざまな民族的・宗教的少数派、特にイスラム教を主体とするクリミア・タタール人やウクライナ正教会の信者は、継続的な宗教的差別に苦しんでいるのです（Clark,Vovk 2019)。

ウクライナ憲法によれば、ウクライナは世俗的であり、その教会やすべての宗教団体は国家や立法過程から切り離されているとされています。しかし、ウクライナ正教会・モスクワ総主教庁系は、いわゆる「ロシア世界」の思想を推進するロシアのハイブリッド戦争とロシア外交のもっとも重要なソフト手段の一つであったため、ロシアからの宗教的独立の問題は、これまで以上に切実なものとなりました。

これに対して、ロシアがすでにクリミアとドンバスの一部を占領していた2014年5月にウクライナの第5代大統領に選出されたペトロ・ポロシェンコ大統領は、モスクワに忠実な教会がロシアによるウクライナに対するハイブリッド戦争の一部になっていると公然と主張していました。軍隊や国語とともに教会がウクライナの政治秩序や国民的アイデンティティの重要な要素であると考えていたポロシェンコ大統領にとって、宗教問題は国家安全保障の問題だったのです。

したがって、ウクライナが直面した政治的状況は、ウクライナ正教会の歴史においても、独立国家としてのウクライナにおいても、非常に重要な転機をもたらしたのです。そして、2018年12月15日に、ウクライナ正教会は、ウクライナ正教会・キーウ総主教庁、ウクライナ独立正教会を統合した新しい教会となって発足したのです。

2019年1月5日、コンスタンティノープル[29]の全地総主教であるバルトロメオ

注29）コンスタンティノープル（現在のイスタンブール）は、かつてビザンチン帝国の首都であり、正教会の中でも特別な位置を占めている。

1世は、トモス（特定の正教会の自治を母教会が認める勅令）に署名してウクライナ教会の独立を宣言しました。

このことによって、それまで未承認だったウクライナ正教会・キーウ総主教庁、ウクライナ独立正教会、ウクライナ正教会・モスクワ総主教庁系の一部が統合され、新生ウクライナ正教会となりました。ウクライナ正教会・キーウ総主教庁の主教であったエピファニー首座主教が、新生ウクライナ正教会のトップに選出されたのです。

トモスには、「私たちは、（ウクライナ正教会に）独立教会にとっての然るべき特権とあらゆる主権を付与する」と記載されており、これ以降、キーウと全ウクライナの府主教であるエピファニー首座主教が、ウクライナ正教会の頂点として敬意を受けることになったのです（ウクルインフォルム 2019）。ウクライナ正教会の自治独立は、1686年以来つながっていたロシア教会との分裂を正式に決定するものでした。

さらにこの決定でもう一つ重要な点は、シノッド（教会会議）が1686年にモスクワがキーウの府主教庁を併合したことを違法と認めたことです。予想通り、ロシア正教会はウクライナ正教会の独立を認めなかったため、ロシア正教会の勢力下にあるウクライナ正教会・モスクワ総主教庁系は、ウクライナ正教会の独立を支持しませんでした。

ロシア正教会は、これに抗議してコンスタンティノープル総主教庁との関係を解消すると発表しました。とはいえ、2019年には、ウクライナ正教会・モスクワ総主教庁系における1万2,000の小教区のうち500以上がウクライナ正教会に加入し、クレムリンからのあらゆる情報操作、ヘイトスピーチ・フェイクニュースにもかかわらず、その移行は穏やかに行われていたのです（Ukrinform 2019）。ともあれ、ウクライナ正教会のトモスは、概してロシアの侵略に対する象徴的な返答であったといえます。

宗教的な力だけでなく、政治的な力をも巻き込んだこの歴史的な行動は、多くのウクライナ人（ウクライナ正教会やキリスト教を信仰していない人たちにも）に精神的高揚を与えました。ロシア正教会のイデオロギーに反し、ウクライナの教会とその民族的伝統の自治独立を証明する活動は、民族文化と民族の権利全般に対する承認のための長い闘争プロセスだったのです。

（6）正教会・外的脅威・2022年ロシアによるウクライナ侵攻

2022年、キリル総主教は、戦争を「祝福」し、統一されたルーシとウクライナ人・ロシア人に関するプーチン大統領のイデオロギーを支持しました。

このことは、キリル総主教ひいてはロシア正教会が、ロシアの国家レベルにおけるナラティブを売り込み、ロシアによるウクライナ侵攻を支持するよう人々に影響を与えるソフトパワーとして利用されていることを示していました。

プーチン大統領が2022年9月に国内初の動員を命じた際、キリル総主教は「ウクライナとの戦争で亡くなったロシア兵はすべての罪が清められる」と述べていました（Reuters 2022）。

2022年2月のロシアによるウクライナ侵攻後、それまでキリル総主教に忠誠を誓っていたウクライナ正教会の約400の小教区が、総主教の戦争に対する姿勢をめぐってロシア正教会との関係を断ちました。

2022年11月から12月にかけて、ウクライナ保安庁はウクライナ正教会・モスクワ総主教庁系に属する施設内で捜索を行いました。ウクライナ正教会・モスクワ総主教庁系の教会やその他の宗教施設において、ウクライナ保安庁は、教会関係者がロシアに協力している証拠を発見したのです。

そして、ウクライナ正教会・モスクワ総主教庁系は、キーウ・ペチェールシク大修道院の上部（この複合施設の主要な教会がある場所）の支配権を失いました。

2022年12月31日、ウクライナ大正教会はキーウ・ペチェールシク大修道院の主要な聖堂であるウスペンシキー大聖堂とリフェクトリー聖堂で最後の礼拝を行い、続けて2023年1月7日、キーウ・ペチェールシク大修道院のウスペンシキー聖堂で最初のクリスマス礼拝を行いました。礼拝はウクライナ正教会のトップであるエピファニー首座主教によってウクライナ語で行われ、統合されたウクライナ正教会の存在の重要性を示したのです。

ウクライナの教会による長い歴史と独立のための戦いを考えれば、2014年以降の悲劇的な出来事によって、モスクワの支援を受けている正教会との関係をウクライナが断つことを決めたことはとても重要です。なぜなら、この戦争で正教をソフト面での道具として使っているロシアに対抗し、ウクライナ人が団結するために精神的に必要としていたからです。したがって、ロシア・ウクライナ戦争は、長い間待ち望まれていたロシアからの政治的独立だけでなく、宗教的独立も促し

写真 3-8 オデーサ市にあるウクライナ正教会の救世主顕栄大聖堂 [30]

（写真提供：ユリアーナ・ロマニウ）

ました。

このことは、ウクライナ人の国民的アイデンティティが宗教的アイデンティティといかに結びついたものであるかを示しているのです。

注 30）2023 年 7 月 23 日にロシアによる大規模なミサイル攻撃によりウクライナ正教会（モスクワ総主教庁系）の救世主顕栄大聖堂が破壊された。大聖堂を含むオデーサの中心部は 2023 年 1 月に、国連教育科学文化機関（ユネスコ）の世界文化遺産に「オデーサの歴史地区」として登録されたばかり。

3. 日本におけるウクライナ正教会

歴史的に見ても、正教会の信仰が共通認識となりウクライナ移民を結びつけてきました。世界のウクライナディアスポラは、ウクライナが他国の一部であった時代でも、ウクライナの文化･伝統･言語を守り伝える教会を通じて、常にコミュニティを維持してきました。

世界中にあるウクライナ正教会の小教区の数は、国を離れたウクライナ人のアイデンティティが宗教と密接に結びついてきたことを示しています。

例えば、カナダ・ウクライナ正教会（1918年～、旧カナダ・ウクライナ・ギリシャ正教会）は290の信徒団に約12万8,000人の信者を束ね、99人の聖職者がいます。アメリカ・ウクライナ正教会（1923年～）は約87の小教区とミッション、聖職者120人がおり、アメリカ国内のウクライナ・ギリシャ・カトリック教会は200小教区にのぼります。

日本におけるウクライナ正教会である聖ユダミッションは、日本において唯一のウクライナ人の宗教的拠点となっています。1990年代には、東京と近辺在住のウクライナ人の一部は、日本で19世紀に設立された日本正教会（モスクワ総主教）を訪れていました。しかし、共通の歴史、類似する言語、およびキリスト教正統派であるにもかかわらず、ウクライナ人とロシア人は異なる文化経験と価値観を持つため、2004年に在日ウクライナ人コミュニティは、日本におけるウクライナ人の人口増加が一定レベルに達したことから、自らの教区管轄権を持つことを決断しました。

聖ユダミッションのポール・コロルク神父は次のように語っています。

「多くの人にとって日本で唯一の正教会であったロシア正教会で礼拝することが快適ではなくなっていったため、複数の家族が集まり、話し合った結果、ウクライナ正教会のキーウ総主教に連絡を取り、日本での教区を開始できるよう要請しました」（Dzyabko, Kvasnytsia 2020: 60）

ウクライナから専任の司祭を招待するための費用を確保することが困難だったため、ウクライナ人コミュニティの一人が叙階し、日本で奉仕する準備をするという選択肢が挙がりました。そのため、ポール・コロルク神父（ウクライナ系アメリカ人2世）は、アメリカのアンティオキア総主教庁系の正教会が提供するプログラムを修了し、当時アメリカを訪問していたフィラレート総主教によって叙階されたのです。

その結果、聖ユダミッションは、ポール・コロルク神父の叙階とともに、2007年より礼拝を開始しました。2023年の時点でウクライナ正教会は、ウクライナ人コミュニティの規模がまだ小さいことから独自の礼拝所を持てないため、コミュニティは、東京都港区にある日本聖公会の聖オルバン教会に礼拝のため集まっています。

聖ユダミッションは、芸術や宗教教育のクラスを通じて、ウクライナ正教の伝統を育んでいます。例えば、イースターエッグの飾りつけやクリスマスイブの伝統的な12コースの食事の準備等を行っています。また、ウクライナ語の普及も行い、ウクライナ語での礼拝を実施するだけでなく、2008年に日本で初めて設立された東京のウクライナ日曜学校「ジュレルツュ」の開校にも携わっています。聖ユダミッションは数年の間、当学校のための施設も提供していたのです。聖ユダミッションは歴史的観点も重要視しています。毎年1932～1933年のホロドモール、チョルノービリ原子力災害の犠牲者、および2014年のユーロ・マイダンとして知られるウクライナ革命の犠牲者を称える追悼式を行い、近年ではロシアによるウクライナに対する戦争を受けてウクライナを支援するための資金集めも行っています（写真3-9）。

ポール・コロルク神父は以下のように述べています。

「私たちは当初からウクライナ教会の一員でした。創立者と教区民のほぼ全員が日本在住のウクライナ人です。礼拝や聖餐式など精神面でも、ウクライナ人コミュニティと一緒にイベントを開催し、運営面でも全力でサポートしています」（Квасниця, Дзябко 2020）。

聖ユダミッションは多言語対応もしており、礼拝者に応じて、ウクライナ語と英語、または日本語と英語で礼拝を行っています。祝日以外の礼拝では、約半数が日本人、4分の1がウクライナ人、残りがその他の国籍および民族グループです。一方で、ポール・コロルク神父の母国語は英語なので、彼はウクライナ語で典礼を行うことは可能なものの、礼拝説教は十分なウクライナ語で実施することができないと話されています。

写真 3-9 ポール・コロルク神父と在日ウクライナ人
（写真提供：ポール・コロルク神父）

聖ユダミッションは、創設者やメンバーの民族的な伝統を広めることで、文化の多様性と異文化交流を育んでいます。ポール・コロルク神父は、教区の創設者や、教会員である圧倒的多数の人々が日本在住のウクライナ人である一方、礼拝に参加する人々のほとんどは日本人であると説明しています。

「私たちの使命の一つは、日本に住むウクライナ人が自分の一部を捨てることなく、安心して暮らせる家を作ることです。しかし、ウクライナ人である前に、もしくは正教徒である前に、私たちはキリスト教会であり、キリスト教徒を代表しているのです」と神父は強調しています（Krawchuk 2013）。

現在、聖ユダミッションは正式な会則の採択に取り組んでいます。これは人々が教会の一員であり、このミッションがすべての信徒がともに献身的に働いた結果であることをメンバーに想起させるものです。

また、ウクライナ・ミッションは、日本のコミュニティとともに、2018年に歴史的な自治独立に関するトモスを迎えたことも忘れてはなりません。ポール・コロルク神父は次のように述べていました。

「ウクライナの教会が認められたことについてどう感じたか、言葉では言い表せません。これは、私、そして私の父が、生涯をかけて祈り、静かに取り組んできたことです。いつかキーウにある古くからの教会が認められると常に信じていましたし、私の人生においてこれを望むことは現実的だと感じていましたが、正直なところ、こんなにも早くこのようなことが起こるとは思いませんでした」(Dzyabko, Kvasnytsia 2020)。

2022年にロシアがウクライナに本格的に侵攻したことを受け、聖ユダミッションは在日ウクライナ人やウクライナから避難している人々を強く支援し、ポール・コロルク神父は説教や講演など日本各地でウクライナ支援のための公的活動に積極的に参加しています。また、神父は、ロシア・ウクライナ戦争がウクライナのモスクワ総主教庁の正教会信徒に与える影響を的確に指摘してもいるのです。

ポール・コロルク神父によると、「今回の軍事侵攻を受け、モスクワ総主教庁系のウクライナ正教会内でも、ロシア側と距離を置く動きが高まりつつある」と語っています(Christian Today 2022)。

4. 在日ウクライナ人の宗教的アイデンティティ

宗教的アイデンティティとは、共通の信仰・信条・宗教的実践・伝統に基づいて特定の宗教共同体に属するという集団的または個人的な意識であり、人に内在する主要なアイデンティティの一つです。宗教的信条に関する筆者が行った調査への回答から、いくつかのグループを特定することもできました。

（1）教派に所属しているキリスト教徒

ほとんどの場合、回答者は自分たちを正教徒と回答し（24人）、ギリシャ・カトリック信者（2人）、カトリック信者（1人）、プロテスタント信者（1人）と回答した回答者はわずかでした。しかし、回答者の多くが、自分は深い宗教心を持っているのではなく、主に信仰者であると考え、キリスト教の信仰を示すことが必ずしも教会に通うことではないとしています。したがって、回答者の多くが信者であるにもかかわらず、日本ではキリスト教の教会にはあまり行かないのが一般的となっています。

「私はキリスト教徒です、毎週教会に行っています、とは言えません。ただ、神様が守ってくれるということを信じています」（女性、30代、ウクライナ中部出身、専業主婦、正教徒）

「はい、教会には行っています。定期的にではありませんが、祝日には必ず行きます。一般的に、私たちのウクライナ正教会については、クラヤーニの人々が主導しています」（女性、50代、ウクライナ中部出身、教師、正教徒）

「私は自分を宗教熱心な人間だとは思っていません。つまり、私は信仰していますが、信仰深い人間ではありません」（女性、30代、ウクライナ西部出身、専業主婦、ローマカトリック教徒）

「神を信じるためには、教会に行ってお金を払う必要はないと思いますし、毎日毎週教会に行っているのに、教会を出て悪いことをするとても信心深い人がいるのは、どうかと思います。そういうこともあって、宗教性と信仰は教会とは結びつかないと思います」（女性、20代、ウクライナ西部出身、会社員、正教徒）

「少なくとも年に2回は、電車で2時間かけてそこ（ウクライナの教会）に行かなければならないのです。デメリットの一つは、どんな祝日があるのか知るための正教会のカレンダーがないことです。正教会のカレンダーがないため、混乱することもあります。そんな時、母が『明日はこういう祝日だから、掃除しない

でね』と言ってくれます」(女性、30代、ウクライナ中部出身、芸術監督、正教徒女性)

回答者の中には、ロシア正教会に通っていたが、2014年のロシアのウクライナ侵攻をロシア正教会が支持したことから、その存在を見直したという人もいます。

「そこはロシア正教会でした。でも、そこには、チェルニーヒウ出身のミコラ神父というとても素晴らしい神父さんがいました。彼はウクライナ語で私たちに話しかけてくれましたし、今もそこにいます。でも、私たちは14年からそこには行っていません」(女性、50代、ウクライナ中部出身、教師、正教徒)

「そして、私はよく娘に洗礼を受けさせに行きました。ここにはニコライ堂があります。日本正教会はロシア教会に従属するものだと、今になって理解しました。今までそのことは気にしていませんでした。ロシア正教会には、日本人だけでなく、ロシア人も来ますし、外国の正教徒もみんな来ます。そして、私はそこで娘に洗礼を受けさせました」(女性、40代、ウクライナ東部出身、専業主婦、正教徒)

在日ウクライナ人の中には、教会が民族意識に影響を与えるとは考えておらず、調査時点でもロシア正教会に通い続けている人もいるのです。

「私にとってニコライ堂は寺院であって、私にとっては……、つまり、そこに家のような雰囲気を感じるところなのです。つまり、私たちの教会のような雰囲気を感じて、祝日になるとそこに行きます。毎週は無理ですが、祝日には行きます」(女性、30代、ウクライナ中部出身、自営業、正教徒)

「私はキーウ総主教庁の正教会で洗礼を受けました。しかし、私が意識的にギリシャ・カトリック教会に通ったのは、祖父母の存在があったからです。祖父母はギリシャ・カトリック教会に通っています。そして、祖父母から聞いた話ですが、基本的に父方の先祖はほとんどがギリシャ・カトリック教徒だったそうです。

だから、基本的には父方の宗教的なことを教えられたので、ギリシャ・カトリック教会に通ったのです。ここでは正教会へ行きました。復活大聖堂、ニコライ堂です」（男性、20代、ウクライナ中部出身、会社員、正教徒）

ギリシャ・カトリック教会をはじめ、ウクライナ教会のすべての宗派が日本にあるわけではないため、あるウクライナ人女性は、日本でどの教会に通うべきか迷い、ウクライナの司祭に相談したこともあると語っていました。

「（司祭に）次のように言いました。『私には2つの選択肢があります……。ここのカトリック教会か、それとも正教会に行くかです。どちらに行けばいいのでしょうか？』答えは『基本的に、どちらに行っても違いはない』というものでした。行きたいところに行けばいいのです。神は心の中にいるのだから。自分がどう感じるか、だから……、感じたままに行動するのです」（女性、40代、ウクライナ西部出身、介護福祉士、ギリシャ・カトリック教徒）

また、ギリシャ・カトリック信者と回答している他の回答者は、日本のカトリック教会に通っていました。

（2）教派に所属していないキリスト教徒

自分を広い意味でキリスト教徒と認識しているのは、ごく一部（4人）でした。

「形式的にはキリスト教徒ですが、実際の行動ではそうではないかもしれません。私は無宗教です。どの宗教にも属していないと思っているのですが、母の親戚がギリシャ・カトリックなので、そちらで育ちました。でも、父の親戚と私の父は正教徒で、あまり違いはなく、私にはあまり関係ないのですが、ギリシャ・カトリックの人たちと過ごす時間のほうが長かったです」（男性、30代、ウクライナ西部出身、会社員、キリスト教徒）

「私は深い信仰心を持っているわけではなく、つまり、信仰は私の中にあるものと考えています。それに、ソ連時代に両親が所属していた共産主義組織などから隠れてこっそり洗礼を受けさせてくれたことについて、あまり感謝していません。つまり、子どもの頃から異質な存在であったモスクワ総主教庁の教会に入りたいとは言いませんでしたし、28歳でリヴィウに引っ越すまで、それは私にとって異質なものでしたから、教会に行くことはありませんでしたし、キリスト教にも属しませんでした。リヴィウでは、ギリシャ・カトリック教会の本物の司祭や聖職者に出会い、私の世界観は変わり、教会に対する態度も変わりました。そして、私の人生における信仰への思いは、それまで以上に大きなものとなりました。日本という大きな家族の中で、なぜか自分は信仰していないと信じている日本の多くの人たちが、いろいろなシーンで寺や神社（にお参りします）で……、そう、今年（2021年）は大規模なお祭りがなかったとしても、日本には日本のこうした伝統があることを、今では知っています。それに、現代の家庭でも、寺や神社に行くことは欠かせません。だから、日本人がなぜ、自分たちは宗教とはまったく関係ない、無宗教だと言いたがるのか、理解できません。しかし、彼らの宗教に対する態度、信仰に対する態度は、実際にはまったく逆のように私には見えます」（女性、30代、ウクライナ東部出身、教師、キリスト教徒）

（3）不可知論者と無神論者

回答者（9人）の中には、自らを不可知論者と呼び、より強力な存在を信じるが、どの宗教にも属さないことを主張している人もいました。

「洗礼を受けたキリスト教徒である私は、正直言って信者ではありません。なんと言いましょうか、不可知論者なんです。イースターに教会に行ってイースターケーキを奉納するのは、信仰のためではなく、ただ伝統であるからです」（女性、40代、ウクライナ中部出身、移民コーチ、不可知論者）

「私はキリスト教徒として生まれ、両親から2回洗礼を受けましたが、今はもうキリスト教とは無縁だと思っています。信じていないんです、ただ信じていないんです。私は、人のエネルギーだけでなく、宇宙や世界のエネルギーも信じています。例えば、運命は神が私たちに対して定めているものとは思っていませんが、運命は信じているつもりです。なぜなら、運命というのは、古代ギリシャに存在したものですから、私は信じています。でも、それが宗教かどうかはわかりません。もしかしたら宗教なのかもしれませんね。私は何かを信じてはいますが、キリスト教でも仏教でもイスラム教でもないのは確かです。つまり、ある宗教と結びついてはいますが、信じてはいません」(女性、20代、ウクライナ中部出身、大学院生、不可知論者)

回答者のうち、自分を無神論者だと考えているウクライナ人は5人いました。

「私はこの中で、まず幼少期にモスクワ総主教庁の正教会、次にウクライナ総主教庁、そしてカトリック信者だったこともあり、カテキズムなども勉強していました。ただ、勉強していくうちに、自分は信じることができない、これは信じられないと気づきました」(男性、20代、ウクライナ西部出身、会社員、無神論者)

「信仰はありません」(男性、30代、ウクライナ中部出身、教員・研究者、無神論者)

(4) 子どもへの洗礼

日本人とウクライナ人の混血家庭における子どもの洗礼の数も、ウクライナ人のキリスト教的アイデンティティの顕在化を示しています。日本人との国際結婚で子どもがいると回答した18人のうち、10家族が子どもに洗礼を受けさせることを選択していました。子どもに洗礼を受けさせることがなぜ重要なのかという質問に対して、ウクライナ人回答者は次のように回答しています。

「正教徒の私たちにとって、この子に洗礼を受けさせることはとても重要なことでした。私の夫はどちらでも良かったようで、彼は気にしなかったんです。一方で、子どもに正教会について知ってもらうという意味で、私にとっては大事なことでした。私が押しつけるわけでもなく、もちろん私自身が教会に行くわけでもないのですが、彼女が正教徒であることは私にとって重要なことなのです」(女性、30代、ウクライナ東部出身、会社員、正教徒)

「なぜ重要なのかというと、私はキリスト教徒であり、異なる文化や宗教で育ったので、異なる世界観やビジョンを持っているからです。自分の子どもが守られている、より守られている、と感じることができるのです」（女性、40 代、ウクライナ東部出身、教師、正教徒）

「とても大事なことだったのでしょう。本当に守るべきものだと感じました。私はあまり信心深いほうではありませんが、日本の反宗教性も理解できません。私は今でも何かを信じています。私はあまり信心深くないので、毎日教会に行くわけではありませんが、何か、私たちを守ってくれるものがあると信じています。例えば長女は神を信じています。彼女の部屋を見ても、いつもアイコンが置かれています」（女性、40 代、ウクライナ南部出身、エステティシャン、正教徒）

回答者の中には、日本人男性がウクライナ人女性と結婚するためにキリスト教に改宗したケースも少なからず見られました。

「夫がキリスト教に改宗して結婚しました。それは決して簡単なことではありません。私は最初からそうだったんです。祖母は『神様と一緒でなければならない』とよく話していました。何の疑問もなくそのように過ごしていました」（女性、30 代、ウクライナ中部出身、芸術監督、正教徒）

「はい、洗礼の儀式を受けました。夫と結婚した時、ウクライナに行き、そこの教会で結婚式をし、もちろん子どもも洗礼を受けました」（女性、30 代、ウクライナ中部出身、音楽家、正教徒）

(5) 宗教と文化

回答者の宗教的信条が、特定の伝統料理を作ったり、祭事用の歌を歌ったりする文化的習慣と密接に結びついていることは興味深いことです。特に、ウクライナの宗教的伝統の遵守と、クリスマスとイースターの祝祭がこれに当てはまるでしょう。

写真 3-10 在日ウクライナ人によるクリスマス祭（2019 年）
（写真提供：NPO 法人 KRAIANY）

「私たちはクリスマス、イースター、神現祭に関するキリスト教の伝統を守っています。ウクライナでは、いつもメドヴィー・スパス[31]とヤーブルチュニー・スパス[32]という祝日を祝い、8 月に教会に子どもたちと一緒に行きます。だから、子どもたちはこれらの祝日をよく知っているんです。カトリックのクリスマスは、ただプレゼントが目的だと言われています。ウクライナのクリスマスは、いわば家族の伝統のようなものなのです。とても精神的なものなのです。子どもたちは、クリスマスに出てくるような、特別な料理を母親が作ってくれることもわかっています」（女性、50 代、ウクライナ中部出身、教師、正教徒）

注 31）「メドヴィー・スパス」（The Honey Feast of Savior）（ウクライナ語で「メード」は「蜂蜜」という意味）は 8 月 14 日にお祝いされる正教会の祭り。この日に、正教会は、主の生命を与える十字架、救い主の像、ヴォロディーミルの聖母のイコンの 3 つの祠の記憶を称える。また、蜂蜜に聖水をかけ、その蜂蜜で亡くなった親戚を偲ぶ。

注 32）「ヤーブルチュニー・スパス」（The Apple Feast of Savior）、（ウクライナ語で「ヤブーロコ」は「りんご」という意味）、は「主イエスの変容」を 8 月 19 日に祝う正教会の祭り。この日に、イエス・キリストが弟子たちと高い山に登り、白く光り輝く姿を弟子に示したと福音書で記載されている。
そして、昔から人々はこの日に秋のシーズン開始を表しているりんごに聖水をかけ、りんごを食べる伝統がある。

「クリスマスはいつもウクライナ風に12種類の料理でお祝いします。肉が入っていない料理も必ず食べます。伝統的なクリスマスキャロルも歌います。私たちはコロディー[33]という祝日を祝います。子どもたちと一緒にヴァレニキを作り、春の歌を歌います。イースターを必ず祝います。イースターケーキを作って焼き、イースターエッグを描きます。そしてイースターの前夜にも、イースターエッグを描きます」(女性、40代、ウクライナ東部出身、教師、正教徒)

「例えば、イースターです。イースターを祝い、イースターエッグを描き、今年はイースターケーキを焼きました。以前は教会に行って祝いましたが、今年は祝うことができません。同じように、もしクリスマスであれば、ほとんどが平日に当たるのでより大変ですが、『ああ、うちはウクライナ風のクリスマスを迎えます』と人に話すでしょう。それか、イースターです。なぜならイースターは別の日に祝われるからです」(女性、20代、ウクライナ西部出身、会社員、教師正教徒)

キリスト教の儀式を行う主な動機は、個人的な信仰心だけでなく、ウクライナの文化やウクライナの家族の伝統とのつながりを意識することも含まれているのです。

「私たちはいつもイースターを祝っています。私の周りの日本人たちはそれに慣れていて『今年はいつイースターがあるの？』と聞いてきます。私は昔からクリスマスとイースターは必ず祝っています。祖母の家に行くと家族が集まるので、私にとってクリスマスとイースターはみんなが集まるべき家族の祝日です。正直に言うと、私が最後にウクライナでクリスマスを祝ったのは15年前で、イースターはもっと前、たぶん結婚する前です」(女性、40代、ウクライナ西部出身、介護福祉士、ギリシャ・カトリック教徒)

注33)「コロディー」は東方正教会の祭り。四旬節の前の最後の1週間、つまり、イースターの7週間前に行われる感謝祭。

また、自分を不可知論者と回答している回答者は、宗教的なアイデンティティというよりも、文化的なアイデンティティの要素として宗教的な祝日を祝う傾向が多く見られます。

「家族の伝統なので、ある伝統に従ったとしても、それは私が信仰心が強いからではなく、家族がそうしていたからであり、私はそれをここで続け、少しは故郷を感じることができるのです」（女性、20代、ウクライナ中部出身、自営業、不可知論者）

「ウクライナにいた時と同じような規模感ではありませんが、お祝いはします。ウクライナではもっと伝統的でフォーマルで、料理もきちんと用意されているんです。しかし、私たちが覚えているのは、もっともシンプルなものだけだと思います」（男性、30代、ウクライナ西部出身、音楽プロデューサー、不可知論者）

「例えば、私はクチャを作ったりキャロルを歌ったりといった一連のクリスマスの伝統を守っていますが、おそらくその程度だと思います。つまり、ウクライナで暮らしていた時も、まったく同じように過ごしていたということです」（女性、30代、ウクライナ西部出身、教員・研究者、不可知論者）

(6) 2018年のトモス

ウクライナ正教会に対する自治独立に関するトモスについては、特定の教派への所属にかかわらず、肯定的に評価する回答が過半数でした。

「トモスは、とても良いことだと思いますし、実質的にここ日本にいる自分にはなんの影響もありません。しかし、それは目指していたことであり、実現したことはとても良いことだと思います。批判も多いようですが、独立したウクライナを今後も推進したいのであれば、これは必ず必要なことだと思います」（男性、30代、ウクライナ中部出身、教員・研究者、正教徒）

「私はこれまでの人生で、キーウ総主教庁、モスクワ総主教庁、ギリシャ・カトリックの教会にそれぞれ行ったことがあります。信仰深い私にとっては、彼らが何を歌うのか、どんな歌を歌うのかが重要で、それはそれなりに意味があり、何かのために行われるものだからです。つまり、すべての教会の礼拝、すべての聖なる典礼には、独自の儀式と意味があるのです。そして、それを理解することが重要なのです」（男性、20代、ウクライナ中部出身、会社員、正教徒）

「前向きに捉えています。私は親ウクライナ正教派の不可知論者です（笑）」（男性、50代、ウクライナ東部出身、翻訳者・編集者、不可知論者）

「私はこの決定を支持しました。なぜなら重要なことだと思ったからです。私はこの教会の方針を大まかに理解していました。ウクライナが独立したかのようになりましたが、教会の世界では、独自の教会を持つべき独立した別の国とは考えられていなかったのです。ですから、今回の決定ですべてが決まったと思います。私自身は信者ではありませんが、非常に信心深い人たちに会ったことがあり、彼らにとっては重要なことなのです。つまり、教会と聖職者が地上における神の代表であると本当に信じている人たちです。ウクライナの聖職者はこの空間では正当ではないといわれています。ですから、これは彼らにとって大きな問題を引き起こし、彼らはモスクワ総主教庁に行くのです。なので、私はこの決定を支持しましたし、重要だと思っています」（女性、30代、ウクライナ中部出身、教員・研究者、不可知論者）

一方で、教会が政治とは分けて考えられるべきであることの重要性を強調しつつ、ウクライナ教会へのトモスの付与を主に政治的な出来事と捉えるウクライナ人も少なからず存在しています。

「私は信者ですが、それほど信心深い人間ではありません。なにか感じたら教会に行きますが、あなたの質問にすぐに答えるなら、私は教会に関する政治的な戦いに参加することはない、と答えます。私は宗教に関しては政治的に中立であり、私は正教会に通っていますが、教会が政治的に中立である限りは、私は政治的に中立です。もし教会が政治的に中立でないとわかったら、私はそこにいない

でしょう」（女性、20代、ウクライナ中部出身、会社員、正教徒）

「私にとっては重要ではありません。でも、私の意見は一つであるべきだと思います。これは私の意見ですが、一つの教会がキリスト教の教会としてあるべきだと思います」（男性、40代、ウクライナ東部出身、スポーツトレーナー、正教徒）

このように、回答者47名のうち、70%が自らをキリスト教徒と考え、その多くは自らを正教徒と述べています。残りの回答者は、不可知論者（19%）または無神論者（11%）です。在日ウクライナ人は一般的にキリスト教の教会の礼拝に頻繁に出席するわけではなく、教会への出席が心の強さに直接左右されるわけではないことを強調しています。

多くの回答者にとって、ウクライナのキリスト教の伝統を守ることは、キリスト教だけでなく、何世紀にもわたるキリスト教の伝統に基づくウクライナの文化的アイデンティティそのものを示すことでもあるのです。

4章 ウクライナ人の言語とアイデンティティ

本章では、まず、ウクライナの言語状況の歴史を検討し、次に、2014年のロシアのクリミア・ドンバスへの軍事侵攻や2022年2月以降のさらなるロシアの侵攻によって、在日ウクライナ人の言語使用や言語意識がどのように変わったかを分析し、ロシアによる戦争の影響の有無を考察します。

ここでは第1期と第2期のインタビュー調査の結果の経験的根拠に基づきます。

1. ロシア帝国におけるウクライナ語の状況

ウクライナの言語状況については、ソ連時代の言語政策、ウクライナ独立後の言語政策、そしてウクライナ語とロシア語使用の使い分けの実態を中心とした多くの研究の蓄積があります（Bester Dilger 2009; Bilaniuk 2005, 2022; Kulyk 2011, 2021; Pavlenko 2008; Flier&Graziosi 2017; Масенко 2010; 2020; Мацюк 2009, 2010–2020; Мозер 2011; メ木 2014 他）。

海外移住しているウクライナ人の言語使用に関しては、ウクライナ人のディアスポラが最も多いアメリカ、カナダ、オーストラリアを中心に研究が進んでいます（Ажнюк 1997; Seals 2019 他）。また、在日ウクライナ人の言語使用に関する研究はまだ多くありません (Pavlyi 2019, 2020; ジャブコ 2023)。

まずはじめに、ロシア帝国の領域に入っていた現代ウクライナの領土（キーウ市、ハルキウ市、ポルタヴァ市など）の言語状況の説明から始めたいと思います。

上記に紹介したリーナ・コステンコ詩人はウクライナ語の歴史に関して、「国民は脳梗塞では亡くならない。はじめに言語が奪われる」と述べています。このようなメタファーでリーナ・コステンコは、ウクライナ国民が存在しないようにウクライナ語が長い間ロシアに弾圧された強調しています。ウクライナ国家の独立の歴史とウクライナ語の歴史は深く関わっているのです。

1654年にウクライナのコサックがポーランドと戦うために、ロシアのツァーリから一時的に保護を受けることになった時から、1980年代までの間、ウクライナ領土ではロシア化が行われてきました。その間、さまざまな分野において、ウクライナ語が100回以上禁止されたといわれています。

1709年に、スウェーデン軍とロシア軍の間（大北方戦争）でウクライナ中部のポルタヴァの近くでポルタヴァの戦いが行われました。当時に、スウェーデン国王カール12世は、ウクライナ・コサックのヘーチマンであるイヴァン・マゼパ（1687～1709年）と連携し、ロシア皇帝ピョートル1世に対抗していました。この戦いにより、スウェーデン軍が敗北し、ロシアが勢力を拡大する契機となりました。そして、その結果、ウクライナの独立を目指していたヘーチマン国家も弱体化し、ロシアの支配下に置かれることとなりました。その時以降、ロシア帝国はウクライナで激しいロシア化政策を実施し始めます。例えば、1709年にピョートル1世は初めてウクライナ語による書籍の印刷を禁止する勅令を出しました。また、1748年に、ロシア正教会のシノドス（司教会議）はウクライナ語による教育を禁止し、866の学校を閉鎖しました。

1764年には、ロシア皇帝エカテリーナ2世がロシアの勢力拡大に成功し、ウクライナのコサック国家を消滅させました。その時以降、ドニプロ川の左岸およびキーウ市はロシアの一部となりました。しかし、ロシアでは、ウクライナがキーウ・ルーシから始まる別の民族であり、別の言語や文化を持っていることで、ウクライナ民族が、当時の他のヨーロッパの民族と同じように、国民国家独立運動を引き起こす可能性があると意識されていました。その結果、ウクライナの分離を避けるために、特に19世紀半ば以降、ウクライナでウクライナの文化的抑圧、つまりロシア化政策が積極的に実施されたのです。

ウクライナ文化の一部であるウクライナ語がロシア帝国の国益に反すると判断され、ウクライナ語による教育や宗教の活動が次第に制限されました。ロシア化政策の中で、ウクライナ語は地位の低いものと見なされ、当時の帝国のイデオロギーを作る者たちによって、ウクライナ語が別の言語であるという事実が強く否定されていたのです。

第1章で述べたように、ロシア帝国ではウクライナのことを「小ロシア」と呼んでいたため、ウクライナ語は「小ロシア方言」のように呼ばれていました。その例の一つとして、皇帝アレクサンドル2世の内相ピョートル・ヴァルーエフは、次のような有名な言葉を残しています。

「ウクライナ語は存在しなかったし、存在していないし、これからも存在しえない。大衆によって使われている言葉はただポーランドの影響に歪められたロシア語の方言にすぎない」(中井 1998: 298)。

その結果、1863年に「ヴァルーエフ指令」という、ロシア帝国内でウクライナ語の使用を制限する秘密司令が出たのです。その指令によると、「ウクライナの農民は小ロシア方言によって教育されるべきではないし、小ロシア人とポーランド人によって作られているウクライナ語と呼ばれている言葉より、ロシア語をよく理解するように」と説明され、ロシア帝国内では、ウクライナ語の宗教書や教科書の出版が禁じられました。

さらに13年後の1876年には、ウクライナ語の出版物を全面的に禁止する「エムス法」が定められました。教育や宗教以外に、ウクライナ語による小説、劇、講演までも禁止するという弾圧政策が実行されたのです。その結果、多くのウクライナ人の知識人は文化活動ができなくなり、当時のオーストリア・ハンガリー帝国の領域に入っていた西ウクライナへの移動を余儀なくされました。

この「エムス法」は、ロシア帝国で1905年まで機能していました。1905年に帝国サンクトペテルブルク科学アカデミー(現在のロシア科学アカデミー)によって、ウクライナ語がスラブ系の別の言語であると判断され、「ヴァルーエフ指令」と「エムス法」の廃止が進められたのです。しかし、「エムス法」が廃止された後、1908年にロシア帝国元老院は「ウクライナの文化・教育活動の有害性」を指摘します。1917年のウクライナ人共和国の成立までに、ロシア帝国に支配されていたウクライナ領土ではウクライナ語は学校で科目として学習されていませんでした (Shevelov 1989)。このように、実際にはウクライナ語禁止の歴史は長く続いていたのです。

このようなウクライナ語の歴史的背景から、ウクライナ人の言語アイデンティティに変化が生じたと予測できます。

ウクライナの文学者であるヴィーラ・アヘイエヴァ（Агеєва 2021）は、このような変化をウクライナ人の「アイデンティティの二叉」と呼んでいます。ウクライナ人の言語アイデンティティの問題を理解するためには、ロシア作家として知られているニコライ・ゴーゴリ（1809～1852年）と「ウクライナ国民の父」「近代ウクライナ語文学の始祖」と呼ばれるタラス・シェフチェンコ（1814～1861年）を事例として挙げることができます。

ほぼ同時代（ゴーゴリは5歳上）に同じウクライナ中部で生まれ、優秀な文学者だった2人はまったく異なる国民的アイデンティティを選びます。

ウクライナ神話・伝統・民謡からの多くのプロットを作り出したゴーゴリは自分がウクライナ国民であるという認識が薄く、ロシア帝国の文学者としての名声を高めるためにロシア語で書くことにしました。そしてシェフチェンコの文学の才能を尊重しながら、ウクライナ語で詩作した詩人シェフチェンコに対し、ゴーゴリは「われわれはロシア語で書くべきなのだ。われわれ全スラブ人にとって主権を有するロシア語を擁護し、強固なものにしていかねばならない」と訴えていました。

それに対して、シェフチェンコはウクライナ語を捨て自分のウクライナ人としてのアイデンティティをなくしたゴーゴリに詩で応じたのです。

そして誰にこの言語を見せるのか
誰がそれを迎えるのか、誰がその偉大な言葉を推し量るのか。
皆は耳が聞こえず、腰が引けている
鎖につながれても……関係ない……
あなたは笑い、私は泣く
私の大親友[34]（1844）

その結果、ゴーゴリは現在ウクライナでロシア作家として知られています。一方、シェフチェンコはウクライナのナショナリズムと独立運動のシンボルになり、ロシア帝国と戦っているウクライナ人に遺言を残したのです。

注34）筆者による訳

わたしが死んだら
なつかしいウクライナの
ひろい丘の上に
うめてくれ
かぎりない畑とドニェプルと
けわしい岸辺が見られるように
しずまらぬ流れが聞けるように
ドニェプルがウクライナから
すべての敵の血潮を
青い海へ押し流すとき
わたしは畑も山も
すべてを捨てよう
神のみなもとにかけのぼり
祈りもしようだがいまは
神のありかを知らない
私を埋めたら
くさりを切って立ち上がれ
暴虐な敵の血潮とひきかえに
ウクライナの自由を
かちとってくれ
そしてわたしを偉大な自由な
あたらしい家族のひとりとして
忘れないでくれ[35]（1845）

注 35）藤井悦子（訳）『シェフチェンコ特集コブザール』群像社（2018）

2. ソ連時代おけるウクライナ語の状況

1917年12月から1921年11月にかけて行われたウクライナ領土をめぐるソビエト・ウクライナ戦争においてウクライナ人民共和国の軍はロシアの赤軍に負け、1922年にウクライナはソ連に入ることになりました。

1922年から1938年までの間、レーニンによって開始されたネイティブ化（nativization）が行われ、ソ連で使用されていたそれぞれの言語は、平等に扱われるような動きが見られました。例えば、ウクライナの学校ではすべての子どもたちがウクライナ語での教育を受けていました。しかし、1930年代に入ると、スターリン政権によって、突然言語政策が変更され、再びロシア語化が進められました（Shevelov 1989）。

- 1920年代：新たな文化・文学・芸術世代（ウクライナ国内の作家は5000人程度）
- 1922年：ウクライナ共和国の教育機関でウクライナ語は必須科目
- 1923～1930年：ソ連全土ネイティブ化、母語教育の復活
- 1928年：『ウクライナ語正書法』（『スクリープニク正書法』）（ウクライナ標準語の文語の音声学的・形態論的な構造を法典化した正書法）

1930年代は言語だけではなく、ウクライナではさまざまな部分で大きな被害を受けました。1932年から1933年にかけて、スターリン政権はウクライナでホロドモール[36]と呼ばれる大規模な人為的飢餓（600～1000万人以上死亡）を起こしたのです。「ホロドモール」は、飢饉を意味する「ホロド」と、疫病や苦死を表す「モール」と2つの単語からできている言葉です。

当時、イギリスなどヨーロッパの国々は、国際赤十字を通じて、スターリン政府に飢饉への対策を要請したのですが、「5カ年計画」の成功を発表していたソ連は、飢饉の存在を隠蔽して認めませんでした（Appeblaum 2017; 岡部 2021）。2006年11月28日、ウクライナの議会がようやくホロドモールをジェノサイドと承認

注36）ホロドモールは映画「赤い闇 スターリンの冷たい大地で」で描かれている。

し、2023年6月時点でエストニア、アメリカ、カナダなどの27カ国の議会がホロドモールをジェノサイドとして認めています。

1930年代にウクライナ語の機能が意図的に制限され、ロシア語と一体化されウクライナ語の発展が人工的に統制されました。

・1930年：ウクライナ学術語研究所が廃止される
・1933年：1928年の『ウクライナ語正書法』は民族主義的だと批判された。「言語面でのナショナリズムの根幹を絶ち、破壊するように！」とされる
・1933年：ウクライナ語とロシア語を統一化する新たな『ウクライナ語正書法』が採択された（アルファベットを変え、文字「ґ」がなくなり、第3変化名詞の語尾が変わる、名詞の「呼びかけの語形」をロシア語に合わせるなど）

1930年代、ソ連政権への不満を表明するウクライナ人が多くなりましたが、ソ連政府は彼らを制圧するために、数々の条例を制定しました。1930年代（1937～1938年に行われていた大粛清を含む）には「処刑されたルネサンス」（Executed Renaissance）[37]と呼ばれた反ウクライナ運動では、ウクライナ人の知識人・文化人の約26万人が犠牲になりました。そのうち半数以上が反ソ連の活動を理由として虐殺され、その他は強制収容所に連行されたのです。

このような殺害はスターリン政権の「粛清」と呼ばれていました。さらに、ソ連政権は、ウクライナ民族が歴史的に住んでいなかった場所へウクライナ人を強制移動させたり、逆に他のソ連の共和国からの民族（主にロシア）をウクライナの領土に移動させる政策を実施しました。

その背景で、1938年以降、ウクライナを含む全ソ連で激しいロシア語化が開始されました。全ソ連ではロシア語以外の言語はマイノリティの言語として扱われ、それらの言語は日常生活でしか使うことができなくなりました。

注37）「処刑されたルネサンス」（Розстріляне Відродження）は、1930年代に処刑、また政治的な弾圧された文学、哲学、絵画、音楽、演劇、映画などの分野で非常に芸術的な作品を生み出したウクライナの1920～1930年代の知識人・文化人の世代を指す。この用語は初めて1917年から1933年までにウクライナ文学者によって書かれた詩を集めたアンソロジー『処刑されたルネサンス』（ユリー・ラヴリネンコ（編）1957）に使用された。

そして、ロシア語が小学校3年生から必修となりました。その頃にはロシア帝国時代よりもさらに大きな変化が起こりました。1930年代から1980年代後半まで（途中1960年代には多少、緩和が見られましたが）、強いロシア語化が続いたのです。ロシア語のほうが優先的な地位を持ち、さまざまな言語機能の分野で幅を利かせていたため、ロシア語からの語彙借用、文法規範、構文がウクライナ語に影響を与えていたのです。ウクライナ言語学者はウクライナ語に対するこのような意図的な破壊行為をリンガサイド[38]と呼んでいます（Масенко 2005; Дуда 2021）。

その例として、ウクライナの言語学者であるラリーサ・マセンコ（Масенко 2022）は次のようなことを紹介します。『ロシア語・ウクライナ語辞典』（クリムスキ、エフレモウ編集）（1933）とモスクワで出版された『ロシア語・ウクライナ語辞典』（1948）を比較すると、多くのウクライナ語の語彙が削除されたことがわかります。また、ロシア語の単語と似ていないウクライナ語の単語は対訳として2番目に紹介されるケースが多く、1番目の対訳として、ロシア語に似ている単語が紹介されていました。

語源的にウクライナ語はロシア語と同じスラブ言語のグループであり、そもそも似ているところが多かったため、語彙の変化を起こすことはある程度簡単でした。その一方で、語源が異なるジョージア語やエストニア語の場合は、同じようにロシア語彙に統一させることは簡単ではありませんでした。

1930年代以降、ソ連のイデオロギー、また、新しくできた、政治・軍事・化学などさまざまな工業に関する語彙、地名や人の名前（80%の新しい語彙）はロシア語経由で紹介されたため、ソ連で使用されていた他の共和国の言語は、ロシア語に統一化されていきました。

さらに、ロシア語経由で「善」と「悪」のイデオロギー的価値を表す語彙群ができました。例えば、націоналізм「ナショナリズム」は「悪」で、комунізм「共産主義」は「善」と見なされたのです。

それに加え、ロシア語が、革命によって社会主義国家を樹立し、もっとも発展しているソ連の言語であったため、ソ連の他の言語は、偉大なロシア語により恩

注38）「リンガサイド」（ウクライナ語で「лінгвоцид」、英語で「linguicide」）とは「言語」を意味する「リンガ」と、意図的な破壊を表す「サイド」と2つの単語からできている言葉。

恵を受けていると強調されたのです。つまり、ロシア語がソ連の文化・言語的な多様性を統一させる手段であり、ロシア語が「ソビエト国民」という新しい文化的な団体の主な言語であるとされ、さらに多くの人々に使われるようになったのです。

1950年代にスターリンに代わったフルシチョフでは、多くのマイノリティ言語に対して「未熟である」というステータスを与え、ロシア語政策を続けました(Smith1998)。

当時、母語を使うことをあきらめ、ロシア語に切り替えることは、ソ連の人にとって自然な成長の条件であり、「進歩」「成熟」するためのプロセスと見なされたのです。

- 1959年:ソビエト連邦共産党中央委員会は「学校と生活のつながりを強化し、公教育をさらに発展させることについて」を決議（学校教育でウクライナ語は選択科目となる）
- 1960年:1933年の『ウクライナ語正書法』第4版を発行。1956年にロシアで発行されたロシア語正書法・句読法規則』に接近することとなった。1990年まで、この1960年の版が公式の正書法だった
- 1960年代:中央委員会は「国民の統一」という国家プログラムを決定

ソ連の中でウクライナ人もマイノリティ民族として扱われたため、ウクライナの領土で使用されていたロシア語以外の言語もマイノリティ言語の地位に追いやられました。ロシア語は格上で、ウクライナ語は田舎の言語と見なされ、またロシア語は仕事や大学教育に必要であると思われました。

1970年にソ連の文部省は、博士論文をロシア語のみで作成するよう法案を可決しました。当然ながら、このような法案は各専門分野を記述するウクライナ語の専門用語の発展および標準化に非常に悪影響を与えました。1979年にロシア語教育に関するタシュケント会議で民族共和国におけるロシア語教育の意義が強調され、ロシア語はソ連の「民族の友情の言語」と称されたのです。ウクライナ語のさまざまな機能はさらに抑制されました。

・1970年：ロシア語が教育と科学の言語としての役割を持つ。ソ連の文部省は、博士論文をロシア語のみで作成するよう法案を制定する
・1979年：ロシア語教育に関するタシュケント会議でロシア語がソ連の「民族の友情の言語」に認定される
・1983年：「ソ連の学校におけるロシア語教育の改善のため、ロシア語を担当する教師の給料を＋15%へ
・1990年：中央委員会でソ連諸国民の言語に関する法案が議決される。ロシア語が唯一の国家語に決定

ソ連時代のロシア語の役割の事例の一つとして、ウクライナ東部ドニプロペトロウシク州の出身者である回答者のコメントを取り上げたいと思います。彼の両親はドニプロペトロウシク州の村の出身者でした。

「子どもの頃から親はロシア語を話そうとしていました。なぜならロシア語はより格上だったからです。ロシア語は大学教育とソ連の科学の言語でしたから。(中略）ソ連の全民族のコイネー[39]でしたから」(男性、50代、ウクライナ東部出身、翻訳者・編集者）

3. スールジクとは

強制的なロシア語政策の結果の一つとして、ウクライナでは「スールジク」と呼ばれるロシア語とウクライナ語の混合語が出現しました。スールジクの名称は、異なる種類の穀物の粉からつくられたパンの名前に由来しています。スールジクの特徴を簡単に説明すると、語彙の大部分はロシア語からきており、文法と発音はウクライナ語からきているようなものです。

ロシア語を母語としているキーウ出身者は次のような説明をしてくれました。

「私の母はキーウで生まれました。おじいさんがウクライナの村を出たエスニッ

注39）この事例の「コイネー」は「コイネー言語」を指し、広く普及した共通言語の言語を意味する。

クのウクライナ人だったのに、母はロシア語で育てられていました。彼らは会社員だったので、都会に引っ越すことで、より良い生活ができました。ウクライナの村にいた頃の彼らの言語使用についてはよくわかりませんが、ひいお婆さんとひいお爺さんはウクライナ語で話していました。お爺さんは都会に引っ越した頃に（彼はスールジクを使っていました）、彼は自分の言語を変えてないかもしれませんが、自分の子どもをロシア語で育てていました」（女性、30代、ウクライナ中部出身、研究者）

2008年に実施された「ウクライナにおける言語政策―人類学的・言語学的な観点および今後の展望―」という国際研究プロジェクトの結果によれば、スールジクを使用しているウクライナ人の割合はおよそ10%。地域によってスールジクが話されている割合は、北部では15.1%、中部は11.6%、東部は9.9%、南部は7.9%、西部は4.5%のように異なっています（Besters-Dilger 2009）。

しかし、スールジクの社会の中での解釈は、現在のウクライナの言語学者の中でもまとまってはいないのです。スールジクは強制的にロシア語化された、ウクライナの都会の言語状況の中でできたものなのか、それとも都会の言語状況と統合した村の文化と口語からできたものなのかが議論されていますが、スールジクができた理由に関するもっとも一般的な考え方は、都会に移動した村人が村で使用されていたウクライナ語を、都会で使用されていたロシア語に切り替えている途中でできた混合口語からきているとされています（Брага 2012）。

例えば、東部のザポリージャ州と中部のジトーミル州出身者はスールジクについて次のように説明しています。

「ザポリージャ州はスールジクが多いです。お婆ちゃんはスールジクで『話していました』。だって、ロシア語話者は都会人ですが、ウクライナ語話者は地方の人たちなのです。レベルアップしたいのであれば、ロシア語を使い始めます（皮肉）」（女性、40代、ウクライナ東部出身、専業主婦）

「私たちは子どもの頃から親とロシア語で話していました。母は村から都会に引っ越したのです。私たちはロシア語を使っていましたが、ジトーミルはスール

ジクが多い地方です。スールジクはロシア語が混じったウクライナ語なのです」（女性、30代、ウクライナ中部出身、専業主婦）

また､ウクライナ人の中でも「スールジクは欠点のあるウクライナ村人の言語」という考え方が一般的なため、スールジクの使用については否定的に捉えられています（Фудерер 2020）。スールジクは権威が低いものと見なされて、日常生活ではスールジクを使っていること自体を認めるのが恥ずかしいと思っているウクライナ人も多くいるのです。

「私はキリヴィー・リフで生まれました。そこでは基本的にスールジクで話しています。ロシア語が多かったのですが、スールジクも多く使われていました。キリヴィー・リフの市民はよくスールジクで話しています。大学の頃はウクライナ語をたくさん使っていました。生まれてから皆『家族』とロシア語を使っていましたが、お婆ちゃんとはウクライナ語で話しています。私はスールジクで話したくないので、単純なウクライナ語を使ったほうが便利です」（女性、30代、ウクライナ東部出身、会社員）

17世紀から1980年まで続いていたロシア語化政策の結果として、ソ連時代の終わりには、ウクライナは、ロシアに次いで、ロシア語話者が2番目に多い国になりました（Pavlenko 2008）。1991年の独立直前、小中等教育ではウクライナ語を教えるウクライナ語学校は49%（1950年代は80%）でした。

1980年代は、ウクライナはバイリンガルとダイグロシア（社会全体での2カ国語使用）状況が存在し、公式の場を含めた生活のさまざまな場面で、ロシア語が主に使用されていました。80%以上の住民がある程度までバイリンガルでした（Масенко 2020）。

キーウ市の出身者はウクライナの言語状況を次にように説明しています。

「母語はウクライナ語だと思いますが、私は42歳で、ソ連で教育を受けました。学校教育はほとんどすべてロシア語で行われました。大学の教育課程ではウクライナ語とロシア語は半分ずつでしたので、日常生活で100%ウクライナ語を使っているとはいえません。キーウはバイリンガルです」(男性、40代、ウクライナ中部出身、研究者・インタビューの時にウクライナ軍兵士)

しかし、1985年にソ連で「ペレストロイカ」という政治体制の改革が始まり、ソ連におけるマイノリティの文化と言語についての議論も始まったのです。1989年のウクライナ研究会では、ウクライナ作家のオレシ・フォンチャルが、当時のウクライナ言語状況を「言語的なチェルノービリ」と呼び、ウクライナ語は国家および社会のレベルで一体化する機能を喪失したと述べていました。

当時、ソ連において政治的な内部分裂が起こり、特にウクライナでは、ウクライナの文化を支持するアクティビストやウクライナ言語学者が「積極的にウクライナ語の国家的・社会的地位を高める必要がある」と強調したのです。

このように、ウクライナにおいて言語問題が政治化された結果、1989年に、当時まだソ連だったウクライナ自治共和国議会は「ウクライナの言語に関する法(以下「89年言語法」)」を採択しました。

この法案ではロシア語の地位について「民族交流の言語」といった曖昧な記述しかなされておらず、それまで公用語、教育言語として優位な立場を占めていたロシア語の地位に、国家レベルで変化が生じたのです。

4. 独立後のウクライナ語の状況

1996年に採択されたウクライナ憲法の第10条[40]によれば、言語に関する基本理念は次のように定められています。

①ウクライナ語を唯一の国家言語と規定
②国全体のあらゆる社会生活分野におけるウクライナ語の包括的発展の実現
③ロシア語の自由な発展・使用および保護、ウクライナ少数言語の保障
④国際交流言語教育の促進

注40) Верховна Рада України, Конституція України, Стаття 10, 1996, https://zakon.rada.gov.ua/laws/show/254к/96-вр#Text.

しかし、独立後のウクライナ憲法の条項と国内の現状が合致しているとは決して言える状況ではありません。例えば、独立後のウクライナでは、憲法でウクライナ語を唯一の国家言語と定め、教育機関でもウクライナ語を教授言語とする「ウクライナ語学校」が年々増加を続け、2012 年までにウクライナ語学校は 81.9% まで増加しましたが、一方で、特に東部と南部の学校の授業では、ロシア語が使用され続けていました。

2022 年にロシアの軍事侵攻により、悲劇的な攻撃を受けたマリウポリ市の出身者は、現地の学校の言語教育について以下のように述べています。

「学校ではすべてロシア語でした。ウクライナ語を習ってはいましたが、ウクライナ語を教えていた先生たちは日常生活ではロシア語で話し、それが普通で、ウクライナ語の学校の現実でした」（女性、30 代、ウクライナ東部出身、溶接工）

ウクライナ語は唯一の国家語になったにもかかわらず、長い歴史の間に教育制度や言語政策によって強制的に形成され続けてきた言語状況が即座に変わるものではありませんでした。ウクライナの独立後もロシア語の社会的ステータスはあまり変わらず、ロシア語を第一言語とする人が多かったのです。とりわけ東部はその傾向が強い地域でした。

ウクライナ科学アカデミー社会学研究所の調査によると、1992 年から 2011 年にかけて家庭においてウクライナ語のみを使用しているウクライナ人は 39% から 42% まで増加しましたが、一方、ロシア語のみを使用しているウクライナ人は 29% から 39% まで増加しました。また、状況により使い分けるウクライナ人は 32% から 17% まで減少しました。2011 年の同社会研究所の言語意識調査によれば、ウクライナ住民の 82% はウクライナ語を流暢に使うことができ、84% はロシア語が使えることが明らかになりました。

こうして、独立後もウクライナの国民のロシア語に対する言語態度は、大きく変わることはなかったのです。

「私はドンバスで生まれました。そこでは皆ロシア語で話しています。そして、村に住んでいる私のお婆ちゃんたちはみんなウクライナ語、スールジクを話しています。(中略) お婆ちゃんは私が住んでいた都市に来て、ウクライナ語で話していた時、都会のみんなから『あなたは都市の人じゃないね、村人だね』という態度をされました。そんなこともあり、スールジクを話すことの少ない私はロシア語に慣れてしまいました」(女性、30代、ウクライナ東部出身、溶接工)

しかしとても重要な点は、ウクライナの西部の人はウクライナ語のみ、東部の人はロシア語のみ、などのようにウクライナ領土を言語使用に基づく2つのエリアに分けることは間違いです。家族とロシア語を話しており、職場でウクライナ語を使い、友人と両言語を使うといったように、大半のウクライナ人が場面により言語を使い分けています。また、東部の人の中でもウクライナ語のみを使用する人もいます。そのため、言語使用の境界は存在しません。

たとえば、家庭でウクライナ語を使い、友人とロシア語を使っていたキーウの出身者は自分の言語使用や、ウクライナ語のみに切り替えたきっかけについて、次のように説明しています。

「同じクラスには、家ではウクライナ語を話し、私とはロシア語を話す友達がたくさんいました。しかし意識的に考えることができる年齢になった時、ウクライナ人の作家の本を読み始めた時、なぜ私はロシア語に切り替えているのかを考えるようになりました。最初の半年は、ウクライナ語だけ話すのはとても難しかったです。おそらく、ウクライナ語は田舎や無知というイメージがあったのでしょう。スールジクのせいかもしれません」(女性、20代、中部出身、大学院生)

ウクライナ語の母語話者である、西部のリヴィウ州の出身者は、1990年代末から2000年代の初めまでキーウ市にある大学で教育を受けていた時の自分の言語使用に関して、次のように言っています。

「私の場合、意図的にロシア語に切り替えました。大学の80%の講義はロシア語で行われていたからです」(女性、40代、ウクライナ西部出身、英語講師)

ウクライナの言語法は、ソ連時代の1989年に採択されたものがほとんど変わらず、2012年まで効力を持っていました。この期間、ウクライナでは言語問題は極めて政治的な問題として捉えられる傾向にありました。

ウクライナの政治活動を担っている政党がどのような言語状況を理想としているかによって、言語法と言語政策の捉え方が変わっていたのです。その中での大きな変化は、2012年にロシア寄りのヤヌコーヴィチ大統領が所属していた地域党が第一党の座を得た時に生じました。地域党は「2つの言語、1つの民族」というスローガンで選挙を進め、ロシア語に第二国家語の地位を与えることに賛同したのです。

地域党の議席数が過半数を超えるとすぐに、地域党のヴァディム・コレスニチェンコ、セルヒー・キヴァロウの国会議員2人によって起案され、議会に「国家言語政策基本法」[41]（「新言語法」と呼ばれた）が提出されました。

この法はウクライナにおいて「地域語」を使用する権利を保障するものであり、国勢調査において該当する行政地域内でその人口の10%以上の「母語話者」がいる言語に適用されました。この法の施行により、該当する地域においては「地域語」が国家語のウクライナ語と同じように裁判所や学校、他の行政施設において用いられることが可能になりました。この結果、全27州のうち13州でロシア語が第二公用語となりました。

ウクライナの言語学者、文学者、そして野党はこの法に関して非常に否定的な態度を示し、同法が廃止されるように強く反発していました。彼らによれば、この法律はウクライナ語の役割を弱体化させ、奪い取るものであり、前述のウクライナ憲法第10条にも違反していたからです。また、ロシア語を中心に適用された同法は、ウクライナ語とロシア語を対立させることで、ウクライナ国家の分離主義的運動を引き起こす恐れもありました。

独立後も出版物やテレビ放送など文化の分野でもロシア語の影響が強かったのです。例えば、2014年までウクライナの書籍の市場においてウクライナ製の出版物の割合はわずか24～26%（ウクライナ語＋ロシア語）で、残りはロシア製の出版物（ロシア語）でした。2014年にウクライナ語の新聞の割合は29.5%（1995年

注41）Верховна Рада України, *Закон України,«Про засади державної мовної політики»* Закон від 03.07.2012 №5029-VI, https://zakon.rada.gov.ua/laws/show/5029-17#Text.

は50%)。ウクライナ語版の雑誌の状況はさらに少ない状況で、全雑誌中のわずか9.9%(2010年は19.6%)ほどでした。

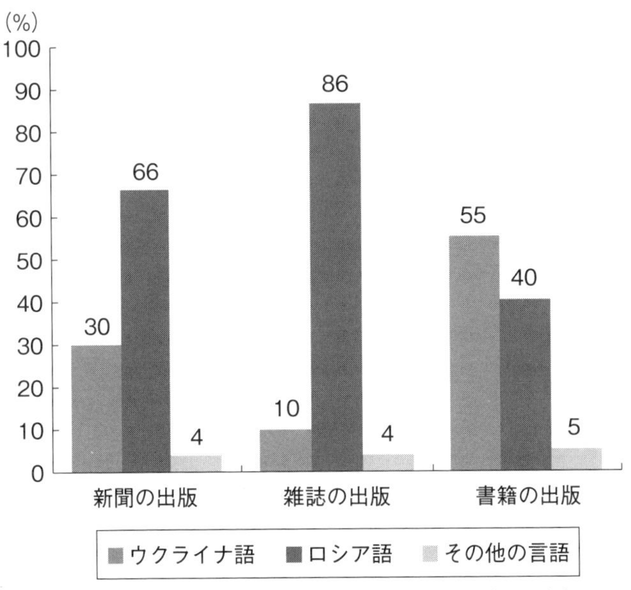

図4-1 ウクライナのメディア市場での言語使用(2014年)

出典:Prostir Svobody 2015年より筆者作成

テレビの言語使用に関しても、プライムタイムに一番視聴率の高い8つのウクライナのテレビチャネルで「ウクライナ語放送」の割合は30%、「ロシア語放送」は43%、「言語が切り替わる放送」は27%でした(Prostir Svobody 2015)。このようなウクライナ人によるロシア語とウクライナ語のミクシングをコロンビア大学のユーリー・シェヴチュク教授(Шевчук 2015)は「言語統合失調症」と呼びました。

このように、ウクライナ語で出版された書籍発行部数やメディアの放送時間がロシア語のそれと比べて少ないものであると同時に、国家語であるウクライナ語の発展や社会的地位にとって、決して喜ばしくない影響を与えていたのです。

5. 2014年以降のウクライナ言語状況

さらに、2013年の末から2014年2月まで行われたユーロ・マイダン革命や、

2014年のロシアの軍事侵攻は、ウクライナの言語政策に非常に大きな影響を及ぼしました。

2014年、ロシアのプーチン大統領は、ウクライナにおける言語的な差別を受けている「ウクライナにいるロシア語を話す同胞たちの保護」を理由として、はじめはクリミアに、そしてウクライナ東部のドンバス地方に軍事侵攻を行いました。ウクライナではロシア語が長く優先的な立場にあったため、じつはロシア語話者が差別されている事実はありませんでした。ロシアのプロパガンダに対して、ロシアの侵攻直後にウクライナで実施された全国世論調査によると、ウクライナ国民の85%が、ウクライナでロシア語を話す人々は圧力を感じていないと答えました（IRI 2014）。

本研究の回答者にも「ウクライナでロシア語を話していた時に差別を受けたことはありますか」の質問に対して、100%の人が「いいえ」と回答しています。

言語差別に関して、ここで、ロシア語を使用している話者によるコメントをいくつか取り上げます。

「差別を経験したことはありません。たくさんの友だちはキーウに住んでおり、そのままロシア語を使い続けています」（女性、30代、ウクライナ東部出身、専業主婦）

「いいえ、差別は決してありませんでした。私は長くキーウに住んでいて、いつもロシア語で話していました。一方で、ロシア語で話していた時、ウクライナ語が母語話者であるキーウ市民の知人が、私と会話している際に、私がロシア語を話していることを考慮して、ロシア語に切り替えていたことに気づきました。その時、私に合わせているということを感じました」（男性、30代、ウクライナ中部出身、政治評論家）

「決して、一回も、ウクライナの地方で『差別を経験したこと』はありません。家族や友だちとウクライナのさまざまな地方を観光したことがありますが、父はいつもウクライナ語で、母はロシア語で話していました。母がウクライナ語で話しかけられた時は、ウクライナ語で答えていました。家族の友だちはロシア語を使っていました。ロシア語を使っていた時、軽蔑や差別的な態度を一度も経験したことはありません」(男性、20代、ウクライナ中部出身、会社員)

「決して言葉で嫌な経験をしたことはありません。ウクライナにいるロシア語話者を保護する必要があるというのは、大『嘘』です。今でも人々は自由にロシア語を使っています。ドンバスとクリミアにいる人の唯一のクレームは、彼らが職場でロシア語を使うことができないことや、薬の説明書がウクライナ語で記載されていることです。これらは『ロシアで』考えられている人権差別と呼んではいけません。私はロシア語話者の家族の一人にもかかわらず、公式的な場でウクライナ語を使うべきだと考えていますし、サービス分野、裁判所や国営施設でもウクライナ語を使うべきだと思っています」(女性、30代、ウクライナ中部出身、研究者)

差別の質問に答えた協力者のうち10人は、ウクライナ語で話していた時に差別を経験したことがあると補足していました。

「リヴィウでの生活の時代以外、ウクライナ語で話していることでいつも差別を受けていました。私の主人は日本人です。ウクライナに行く前に彼はウクライナ語を習っていました。そして彼がハルキウにいる時、嫌な出来事がありました。スーパーや市場で店員にウクライナ語で声をかけた時、言葉が通じていないフリをされ、一度だけ商品を売ってくれないこともありました」(女性、30代、ウクライナ東部出身、英語講師)

西部のイヴァーノ=フランキーウシク州とヴィーンヌィツャ州の出身者は次のように答えました。

「ウクライナでロシア語を使っていません。しかし、子どもの頃から青春期にキーウやクリミアに住んでいましたが、ロシア語話者のウクライナ人から差別を受けたことがあります」(女性、20代、ウクライナ西部出身、会社員)

「私の母はウクライナ人ですが、ロシア人だけではなく、より大きい都市の人に対して、いつもロシア語に切り替えていました。私の父はハルキウ州の出身者でロシア語話者です。そして彼の母（私の祖母）はロシア人です。私が生まれた町の言語はスールジクです。私の母語はウクライナ語ですが、私は12歳の時にロシア語を話すという選択をしました。ある『良い』状況のおかげではなく、ある『嫌な』状況があったからです。ハルキウ州の親戚の家に行った時、彼らがウクライナ語を話している私を『バンデリヴカ』と呼んで軽蔑していたからです。クリミアにバケーションに行った時、見知らぬ男性が、私がウクライナ語で話しているのを聞くと、大勢の前で、私に屈辱を与え、『帰れ』と言ったからです。同じ地域の出身の学生同士で、大学に向かう電車に乗った瞬間、『壊れた』ロシア語に切り替えていました。なぜならロシア語は格上で、ウクライナ語とスールジクは不名誉だからです。これは私の人生の悲劇です。そのため、子どもの頃や青春時代に私がいた場所では、ロシア語ではなくウクライナ語がいつも差別されていたのです」（女性、30代、ウクライナ西部出身、英語講師）

こういったことから、2014年にロシアがロシア語を理由にウクライナを侵略した際、ウクライナ社会もウクライナ政府も、ウクライナ語がウクライナの主権の安全保障となることが、再度認識されたのです。

2014年10月、ウクライナの憲法裁判所は2012年の言語法の合憲性の審査を開始し、2018年2月28日に同法が憲法に違反すると裁定しました。その時から国家語としてのウクライナ語の役割を強化し、かつ、ウクライナにおけるあらゆる言語共同体の権利の保護とその発展という戦略的な目的を考慮に入れた、調和のとれた言語政策を実現しているのです。

その結果、2019年4月25日、ウクライナ最高会議は、「国家語としてのウクライナ語機能保障法」を採択しました。同法は、国家語であるウクライナ語のさまざまな分野での機能を定めたもので、多くの項目は2019年7月16日から施行されましたが、いくつかの項目については準備期間が設けられていました。しかし、同法によって2021年1月16日からはサービス分野における、顧客・訪問者とのやりとりをウクライナ語とするという規定も施行されました。

また、出版・ラジオ・テレビ放送でもウクライナ語使用拡大のための言語政策が推進されています（図 4-2、4-3）。全国で同法を支持しているウクライナ人は過半数を超えており、西部では 88%、南部では 53% となっています。

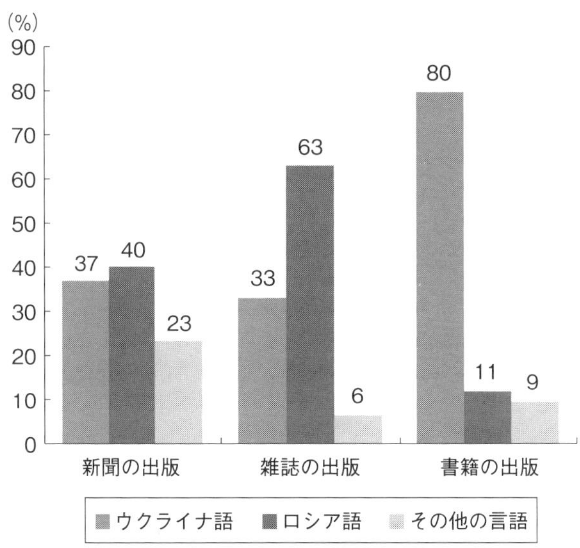

図 4-2 ウクライナの出版市場での言語使用（2020 年）

出典：Prostir Svobody 2020 年より筆者作成

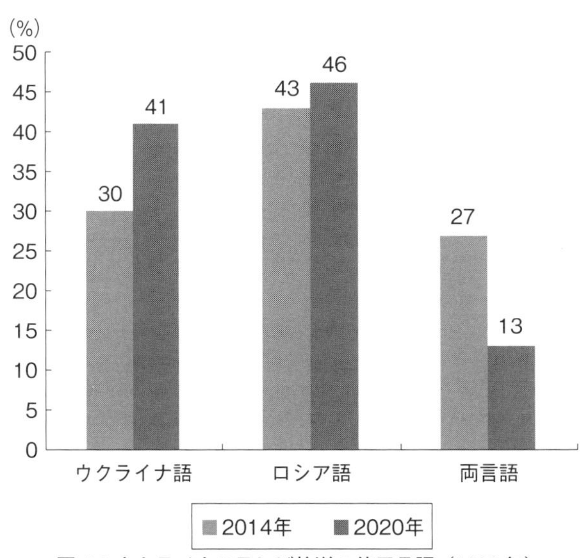

図 4-3 ウクライナのテレビ放送の使用言語（2020 年）

出典：Prostir Svobody 2020 年より筆者作成

統計データによると、2020年時点で、96%のウクライナの子どもたちはウクライナ語で教育を受けていましたが、西部と南部の学校では授業以外の時間で、実際にはロシア語がそのまま使われ続けていました。特に課外活動の施設ではロシア語が使われ続けていました。ウクライナのもっとも大きい5つの都市の56%のサークルと同好会の使用言語はロシア語でした。例えば、ウクライナ語で行われている子どものサークルの数はキーウ市が16%で、ハルキウ市はわずか8%という少なさでした（Данилевська 2020）。

現在5歳の息子がいる在日ウクライナ人の女性は、キーウ市のサークルの言語問題について次のように述べています。

「今、私がウクライナ語話者の息子とウクライナに帰る時、ウクライナ語のサークルを見つけることはできません。ウクライナ語で行われているスポーツのサークル、同好会などを見つけることはとても難しいのです」（女性、40代、ウクライナ中部出身、移住コーチ）

一方、2014年からロシアに占領されているクリミア半島とドンバス地方で、すでに9年間すべての小中高の学校と大学教育はロシア語のみで行われています。

同じような激しいロシア語化は2022年2月24日以降占領されているヘルソン州、ザポリージャ州、ドネツィク州とルハンシク州で行われ、ウクライナ語で実施されている教育施設は一つもないのです。

6. ウクライナ人の「母語」とは

基本的に母語は、個人が幼児期に親や家庭から最初に学ぶ言語であり、感情や考えを最も自由に表現することができる言語です。しかし、「母語」という用語はウクライナ人によって多数の意味で使われており、ウクライナ人の言語意識を判断するために重要な役割を果たしているため、「母語」概念を解釈する必要があります。

「母語」は、ウクライナ語で「リードナ・モーヴァ」といいます。「リードナ・モーヴァ」は「リードナ」という形容詞と、「モーヴァ」という名詞から構成されています。名詞「モーヴァ」は日本語で「言語、言葉」という意味です。そして形容詞「リードナ」は名詞「リード」からできており、「家族」また「祖先」という日本語の単語の意味にもっとも近いものです。すると「リードナ・モーヴァ」は「家族の言語」、「幼児期に自然に習得する言語」の意味もあり、「同じ祖先にあたる言語、祖語」、いわゆる自分のナショナリティを表している「国民語」の意味も含まれているのです。

19 ~ 20 世紀の初めに多くのウクライナ人にとっては「リードナ・モーヴァ」はどちらの意味でもウクライナ語でしたが、上記に説明したように、ソ連時代に行われた激しいロシア化や人工的な「調和のとれたロシア語・ウクライナ語のバイリンガリズム」により、「リードナ・モーヴァ」の意味は非常に曖昧になりました。これは特に、ソ連の国勢調査における「母語」という用語の解釈によって証明されています。そこでは、「回答者が母語と考える言語であり、この言語は必ずしも自身の帰属する国民と一致する必要はない」と記載されていました（Масенко 2020(a))。その結果、多くのウクライナ人特に東部と南部にとっては「家庭での使用言語」と母語と考えている言語は一致しなくなりました。

表 4-1 出生地域と母語選択（第 1 期）

母　語	西部	中部	南部	東部
ウクライナ語	9	10	1	5
ロシア語	—	4	0	5
両言語	—	4	2	1

表 4-2 出生地域と家庭での使用言語（第 1 期）

家庭言語	西部	中部	南部	東部
ウクライナ語	9	8	0	0
ロシア語	0	8	3	9
両言語	—	2	0	2

表 4-3 出生地域と母語選択（第 2 期）

母　語	西部	中部	南部	東部
ウクライナ語	10	6	1	5
ロシア語	ー	2	ー	2
両言語	ー	2	2	4

表 4-4 出生地域と家庭での使用言語（第 2 期）

家庭言語	西部	中部	南部	東部
ウクライナ語	10	2	0	0
ロシア語	0	5	3	10
両言語	ー	3	0	1

この状況を示す例として、両親がウクライナ人である回答者の中には、ウクライナ語を話す家庭で育ったにもかかわらず、自分の子供（つまり回答者）とのコミュニケーション言語としてロシア語を選んだというケース（5 人）、あるいは両方の言語を使うケース（4 人）があることが挙げられます。

「私の家庭ではロシア語が話されていました。子供の頃からロシア語を話していて、父が村の出身で、父の家に行くとウクライナ語が話されていました。そして、都会に出てきた時、ソ連時代だったからでしょうか、都会ではみんなロシア語を話していて、その中で父もロシア語を話していました」（女性、40 代、ウクライナ東部出身、教師）

「たまたま生まれた時からみんなロシア語を話していて、ただ、祖母とはウクライナ語を話しています」（女性、30 代、ウクライナ東部出身、会社員）

2001 年にウクライナ独立後の初めての全国国勢調査で「あなたの母語はなんですか」という質問が、質問項目の一つに加えられていました。当時の全国民約 4,846 万人の 67.5% がウクライナ語を母語と回答しました。そしてロシア語を母語としている人が 29.6%、他の言語を母語としている人が 2.9% でした（State Statistics Committee of Ukraine 2001）。同時に、回答者自身が母語と呼ぶ言語が母語として記録され、両言語を選択する選択肢はありませんでした。

しかし、歴史的に複数言語状況の中に住んでいたウクライナ人にとっては、「リードナ・モーヴァ」の意味は今でも複雑です。例えば、2003年にキーウ国立大学が実施した社会学的調査によれば、ウクライナの国民にとっては「母語」という概念には、「自身の帰属する国民の言語」(42.1%)、「自分が考え、流暢にコミュニケーションできる言語」(27.4%)、「両親が話す言語」(23.1%)、「自分が最も頻繁にコミュニケーションする言語」(2.8%)という概念があることが明らかになりました(Вишняк 2009)。

最近の研究の中から、2017年にウクライナ科学アカデミーが実施した研究の結果によると、64%のウクライナ人はウクライナ語を母語だと考えているが、日常生活でウクライナ語のみを使用しているのは47%です。17%のウクライナ人がロシア語を母語としているが、日常生活でロシア語のみを使用しているのは32%です。どちらも母語としている人は17%で、日常生活で使い分けているのは21%です(Масенко 2020(б))。そのような状況では、ウクライナ人の一部はウクライナ語が母語だと考えても、実際には彼らは日常会話でロシア語をよく使用しているのです。

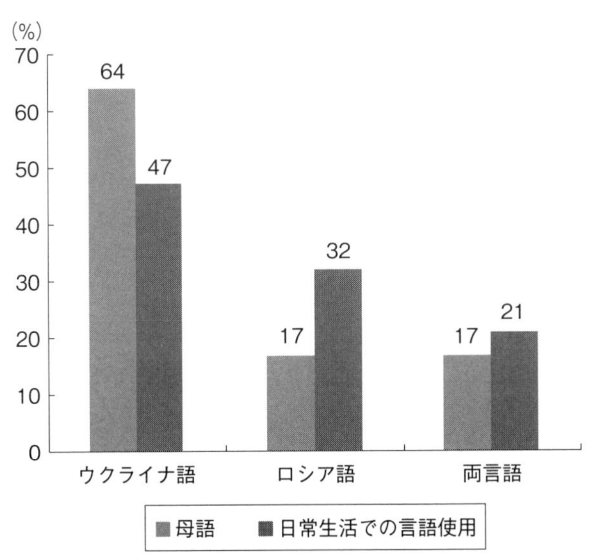

図4-4 ウクライナの日常における言語状況(2017年)
出典:ウクライナ科学アカデミー2017年より筆者作成

そのため、ウクライナ言語学者は、ウクライナの言語状況において、政治的・社会的な事情によりある言語を話していても、その話者が別の国民文化圏に属していると感じることがあるため、「母語」という概念を日常のコミュニケーションにおける言語と同一視するのは誤りであると、指摘しています。

下記のように「リードナ・モーヴァ」のさまざまな解釈は多く見られました。

例えば、東部のドニプロペトロウシク州の出身者は普段家族とロシア語で話しており、ロシア語で物事を考えると言っていますが、「『リードナ・モーヴァ』は何ですか」という質問に対してはロシア語で「ウクライナ語です」と回答したうえで、次のようなコメントを加えました。

「ウクライナ人ですから、ウクライナで生まれました。そしてウクライナ語が好きですから」(女性、30代、ウクライナ東部出身、会社員)

ウクライナの家族とロシア語だけを使っている南部のクリミア出身者と東部ルハンシク州の出身者からも同様の回答がありました。

「もちろん、ウクライナ語です。あまり上手ではありませんが、大好きです。(中略)『ウクライナで』生まれましたから、好きですから……」(男性、20代、ウクライナ南部出身、大学院生)

「私はウクライナ人ですから、『リードナ・モーヴァ』はウクライナ語だと思います。私はウクライナ語の歌を歌っています。ロシア語の歌が嫌いです。ウクライナ語が好きですから」(女性、40代、ウクライナ東部出身、音楽家)

マリウポリ市の出身者は次のように語っていました。

「ウクライナ語はもちろん『リードナ』、より『リードナ』です。より一般的なのはロシア語ですが……。私はドンバスの出身者ですから……、私の頭の中で壁のようなものがあります。『リードナ・モーヴァ』は1つの言語で、普段話している言語は別の言語です」(女性、30代、ウクライナ東部出身、溶接工)

この例からすると、日常生活でロシア語を使っている一部のウクライナ人にとっては、ウクライナ語が母国との関係を示していて、国民的アイデンティティのシンボルの役割を果たしていることがわかります。

また、歴史的にロシア語の影響が強かった結果として、ウクライナ人の中では「リードナ・モーヴァ」が2つあることも考えられます。

「『リードナ・モーヴァ』は2つあります。なぜなら私は同じようにロシア語とウクライナ語を使うことができますから」(女性、30代、ウクライナ東部出身、英語の先生)

「ロシア語はウクライナ語より『リードナ』。その理由はロシア語で話すことが多いからです」(女性、30代、ウクライナ中部出身、専業主婦)

また、「リードナ・モーヴァ」の概念の曖昧さは、「リードナ・モーヴァ」をある時点で変えることができると思われている点にもあります。

ウクライナは日常生活で広範に2言語が併用されている社会であるという印象が強いのですが、ウクライナの社会言語学者であるラリーサ・マセンコ教授は、ウクライナのバイリンガリズムに関して次のように述べています。

「我々のバイリンガリズムは帝国の勢力拡大の結果、またリードナ・モーヴァ(ウクライナ語)の強制的な除去の結果です。そしてこれはウクライナ人を民族として殺すという目標の結果です」(Масенко 2021)

このようにヨーロッパの国々の中で、ヨーロッパ最大の国家(ロシアを除いて)ウクライナはエスニック・マイノリティの言語を国家語と同じように使用し、ある地域では国家語がマイノリティ言語として扱われることのある、唯一の国なのです。

7. 在日ウクライナ人の言語意識の変化

次に在日ウクライナ人による言語使用と、母語に対して抱いている意識について考察してみました。調査の結果をまとめると、在日ウクライナ人の母語に対する意識に影響を与えた要因が大きく4つあります。

1つ目は、日本で合流したウクライナ人のコミュニティによる影響です。

2つ目は、日本で育っている子どもに継承語としてウクライナ語を知ってほしいという希望です。

3つ目は、2014年のロシアの侵攻の影響です。

そして、4つ目は、2022年のロシアによる全面的な戦争の影響です。

（1）移住後の国民的アイデンティティの考え直し

在日ウクライナ人は比較的に少ないため、日本に移住した後で合流したコミュニティによって言語意識の変化が見られます。

例えば、1995年に日本に移住した回答者の話です。

「日本に来た時、主人のドミトロとロシア語で話していました。転換期はタイでウクライナ語に切り替えた時でした。夜、子どもたちが寝ている時、散歩に行ってきました。そこで『ロシア語で話していますね。どこから来たのですか？』と声をかけられたのです。私は『キーウです』と答えました。すると彼らは、『私たちもロシア人、チェルカースィからです』と言いました。そこで私たちはショックを受け、その時からウクライナ語に切り替えました。これは1996年のことでした」（女性、50代、ウクライナ中部出身、教師）

ウクライナの都市であるチェルカースィの出身者が彼ら自身のことをロシア人と同一視していることが、私たちの言語アイデンティティに変化を与えたのです。

2004年に日本に移住した西部のテルノピリ州の出身者で、ウクライナ語母語話者の回答者は、2008年までは、日本に住むロシア語話者のウクライナ人の友人と、いつもロシア語に切り替えて話しをしていました。その後、2008年に夫婦でハワイを旅行した時の出来事を思い出して話をしてくれました。

「ハワイでバスに乗っている時、後ろにいたウクライナ人同士がウクライナ語で会話しているのが聞こえ、とても嬉しく感じました。そして、彼らは海外に来てもウクライナ語を話しているのに、日本に来ている私たちは、なぜロシア語に切り替えているのだろう、と。彼らは私と同じようなウクライナ人でしょう。この出来事が、日本に帰った後、友だちとウクライナ語で話す動機になりました」(女性、40代、ウクライナ西部出身、タレント)

キーウ市出身者で、日本に来る前は基本的にロシア語を使っていたという回答者は次のように述べていました。

「私はウクライナ人の元旦那と日本に来た時に、彼とウクライナ語で話そうとしていました。旅行をしている時にロシア人と混同されないようにです。しかし、ウクライナに帰った時、社会環境がロシア語話者で形成されているので、再びロシア語に変えました。最終的なウクライナ語への切り替えは、子どもが生まれた時に起こりました。キーウにいる多くの友だちも子どもが生まれた時に、ウクライナ語に切り替えていました」(女性、40代、ウクライナ中部出身、移住コーチ)

調査の結果から、在日ウクライナ人が外国人たちの間で海外生活を送ることで、彼らの国民的アイデンティティが活性化することが示唆されました。このことから、他国で「自分たち」を認識するための、ウクライナ国民の特徴として顕著なウクライナ語の役割が、在日ウクライナ人の間で共有されていることがうかがえます。

(2) ウクライナ人の子どもが話すべき言語

ロシア語話者だったが今は子どもとウクライナ語で話している、あるいは、将来的に話したい、と話した回答者は8人(女性)いました。主な理由としては、子どもたちを日本で育て、ウクライナ人とあまり接する機会がない子どもたちに家庭でロシア語を使い続けることで、ロシアへの帰属意識を持たせることを避けるためです。

「日本に来た時、日本に住んでいるウクライナ人のウクライナ語の環境を探し始めました。日曜学校『ジェレリツェ』を見つけ、学校の設立者であるナタリヤ・コヴァリョヴァと彼女の家族と知り合いました。そして娘をそこに連れていき始め、彼女（娘）のおかげで、私がウクライナ人なのにウクライナ語で話していないことに気づきました。最初は子どもに教えるためにロシア語の本を持ってきましたが、とても混乱した状態が始まりました。あちらがウクライナ語で、私はロシア語……。そこから、私は家族とウクライナ語だけで話すことを決めました。

また、日本人に出身地を尋ねられ、『ウクライナ人だ』と答えると、次の質問は、『ウクライナでは何語が話されているのか？』と尋ねられ、『ロシア語だ』と答えづらかったです。むしろロシア語とウクライナ語はまったく異なる言語であることを示したかったので、違和感を感じていました。このような出来事が起こる前、私は残念ながらロシア語を話していました」（女性、40 代、ウクライナ東部出身、教師）

このように、ウクライナの日常生活で主にロシア語を使用していたウクライナ人の母親は、日本育ちの子どもに家庭以外でウクライナの文化、伝統や言語を学ぶ機会をあまり提供できないため、子どもにウクライナの文化的アイデンティティを受け継いでいくために、ウクライナ語に切り替えるケースがあることがわかりました。

(3) 2014 年のロシアによる侵攻開始

2010 年にプーチン大統領はロシア世界を明確に表す発言をしました。

「ロシアの国境はロシア語の使用範囲で終わる」

そして、2014 年にロシアがウクライナに軍を派遣した公式的な理由は、「ウクライナにいるロシア語を話す同胞たちの保護」であるという、ウクライナにおける実際の言語状況からはかけ離れていたものでした。2014 年 9 月に共和国国際研究所がウクライナで行った世論調査（IRI 2014）によれば、「ウクライナのロシア語話者は脅威や圧力を感じているか？」という質問に対し、88% が「感じていない」、そして「ウクライナ語は単一国家語であり続けるべきか？」という質問に対して 80% が「続けるべき」と回答しています。

そのため、2014 年に開始したロシアの侵攻は、ウクライナ人の言語意識、そして言語とアイデンティティにおける関係の問題と密接に関連しています。

2013 年にあったマイダン革命と、2014 年に始まったロシアの侵攻によって、ウクライナ人の国民的アイデンティティに大きな変化が生じました。アイデンティティは、所属の特徴からではなく、相対的な関係の中でつくられるため、ロシアがウクライナの主権を毀損することで、多くのウクライナ人がロシアとは異なる国民であることを強く実感したのです。再びロシアに国家を奪われる恐れが生じたことで、ウクライナ人の国民意識や国民感情は高まっている傾向があります。ロシアからクリミアとドンバスを侵略されたショックから、価値観を見直すようなさまざまな反応があったのです。

本研究のすべての回答者が、2014 年に始まった戦争が国民的アイデンティティに影響を与えたと答えています。

「もちろん、ウクライナ人である権利のために戦う必要があると感じました」（女性、40 代、ウクライナ東部出身、教師）

「はい、影響がありました。以前から私がウクライナ人であることを意識していました。我々にもっとも近いメンタリティがある国民はロシア人だと思っていました。しかし、2014 年以降、我々が兄弟民族であるということを信じなくなりました。兄弟民族は背中にナイフを突きつけないでしょう」（男性、20 代、ウクライナ中部出身、会社員）

もちろん、すべてのウクライナ人のアイデンティティに変化が生じたとはいえませんが、例えば、ウクライナへの帰属意識が強い、ドンバス出身者の回答者は、ロシアの侵攻を支持した多くのドンバスの知り合いや友人と関係を疎遠にしました。

2014 年に始まった戦争によって、在日ウクライナ人の中でも、言語意識の変化が見られます。2014 年以降、日常会話でロシア語を使わなくなった回答者は 8 人いました。その一人はロシア語話者の家族に育てられました。

「自分の国が危険な状況にあり、この危険な状況が、ロシア語が国家語である国から来ているのであれば、ロシア語を日常生活で使い続けることは……。ロシアの言語、ロシアの文化に関係あることを意識することは、裏切りであるように思います。すべてを失って、自分の家、自分が子どもの頃を過ごした故郷がなくなり、その地に戻ることもできなくなった。そのことを考える瞬間、ロシアの言語を使うことができないと意識してしまいます」(女性、30代、ウクライナ東部出身、英語講師)

もう一人の中部のポルタヴァ州の出身者はウクライナ人と会話する時、ロシア語に切り替えることをしなくなったと語っていました。彼女にも質問をしました。「あなたが住んでいた地方ではロシア語は権威のある言葉と見なされましたか?」という問いに対して、次のような回答がありました。

「はい。今でもそう見なされています。なぜ人々が侵略国の言語を使うことが適切ではないということを理解していないのか、私にはわかりません」(女性、30代、ウクライナ中部出身、芸術監督)

2014年の侵攻の後でも、ウクライナでロシア語を第一言語として使っていた人が、そのまま使い慣れたロシア語を使い続けたケースは少なくありません。ロシア語話者の中で、ロシアがウクライナのロシア語話者を保護するためにウクライナへ侵攻したということに対して罪悪感を感じた人は少数でした。どちらかというと、ロシアに侵略されて、ロシア人と同じ言語を使うことに対する嫌悪感を抱くようになったのです。

また、2022年2月24日までに行っていたインタビューの中で、ロシア語を使い続けてもウクライナへの帰属意識が強いと強調した人も何名かいました。

「多くの人はロシア語を話していてもウクライナ人であることを100%意識しています。そういう人はとても多いです。私の親でもそうです……。彼らは自分のことをウクライナ人だと思っているし、彼らはウクライナをサポートしています し、ロシア侵攻へ反対していますが、でも、ロシア語で話したほうが便利なのです」(女性、40代、ウクライナ南部出身、エステティシャン)

「ロシア語を使い続けても私はウクライナ人であることに変わりはありません。まったくウクライナ語を使わないことはないですが……」(女性、40代、ウクライナ東部出身、教師)

このように、すべての回答者の言語意識が変化したわけではありませんが、言語とアイデンティティにおける関係の問題も、言語と戦争の問題と密接に関連していることがわかります。

(4) 2022年のロシアによる全面的な戦争

2022年のロシアによるウクライナに対する戦争の新たな局面は、2014年の第一段階とは異なり、ウクライナのあらゆる都市においてすべてのウクライナ人に被害をもたらしています。ロシア軍によるウクライナの北部・南部・東部の都市の急速な占領、人口密集地への爆撃やミサイル攻撃、ウクライナの民間人の大規模な犠牲、大量避難、ロシア占領軍による現地住民に対する拷問、占領地の住民に

写真 4-1
ロシアによる攻撃を受けたハルキウ大学

写真 4-2
ロシアによる攻撃を受けた
ハルキウ市の集合住宅

(写真提供:Stand With Ukraine Japan)

よる抵抗運動、ウクライナ兵の殉職など、ウクライナ人にとって苦痛な多くの出来事は、ウクライナは被害者であり、ロシアは攻撃者であるという紛争の二面性を持つ新しいウクライナの集団的記憶の一部となりました。戦争はまた、ウクライナ人が何倍も強力な敵に対して勇敢に抵抗しているという現実、それがウクライナ人の結束にも大きな影響を与えています。

全面的な戦争が開始してから、在日ウクライナ人もウクライナにいるウクライナの人々と同じようにロシアに対して極めて強い怒りと嫌悪感を覚えています。

「否定的な感情が多いのは確かです。攻撃的なものもたくさんあります。今まで感じたことのないような、ひどい感情です」(女性、20代、ウクライナ南部出身、会社員)

2022年2月24日にロシアによる全面的な戦争が始まった時、インタビューを行なっていた1カ月間だけで言語意識に変化が生じたことにすでに気づきました。ウクライナの国家性や民族としてのウクライナ人が存在しないことを主張するロシアのイデオロギーや、隷属化・ロシア化行為としかウクライナ人が認識できないロシアによる軍事侵略政策への抗議は、ウクライナ領土に不法に侵入してウクライナの故郷を破壊しウクライナ市民の血を流すことを使命とするロシア政権やロシア軍が使用しているロシア語に対する抗議へと移り変わっています。

「ロシア語は侵略者の言語であり、それがウクライナにあればあるほど、侵略者は我々の土地を侵略し、周囲のものを破壊し、人々を殺すことによって、それを『防衛』したいと思うでしょう」(女性、30代、ウクライナ東部出身、英語講師)

「私はロシア語やその話者に対して嫌悪感を抱いています。親戚も友人もみんなウクライナ語に切り替えています」(女性、30代、ウクライナ西部出身、英語講師)

以前に主にロシアを使用していたウクライナ人の中でも、ロシア語を使うことを否定的に思い、ウクライナ語を話す気運が高まったのでした。

東部のマリウポリ出身の女性の回答者は、そのことを次のように説明しています。

「2014年に少しの『変化』を感じましたが、2022年の戦争が始まった日はよく覚えています。日本は12時半で、ちょうどお昼休みでした。私はオンラインでそのヒトラー、プトラーが『特別作戦を開始する』と言ったスピーチを見ていました。それを見て、インスタグラムにアクセスしたら、マリウポリが爆撃されているのが目に入りました。状況がよくわからなくて、祖母に電話しました。『そうよ。オデーサから電話した親戚もウクライナ全土の軍事インフラが爆撃されているって』と祖母は言いました。私はショックでした。福山にいる友だちに電話をして、ロシア語で話している瞬間、彼女に『私は今ロシア語で話しているけど、なんか気持ち悪いね』と言っていました。そのような気持ちです。ロシア語で話すことが嫌な、とても嫌な感じがしました。スピーチを見てから最初の1時間、私は会話の言葉を『ウクライナ語に』切り替えようとしていましたが、脳はロシア語に慣れていましたね。（中略）ロシア語を使っている時は、頭の中で私もロシア人だという考えがあり、私はロシア人なのかと連想してしまいます」（女性、30代、ウクライナ東部出身、溶接工）

彼女はウクライナ語で考えることに慣れるため、インスタグラムでウクライナ語を使い始めたそうです。そして自分の誕生日にウクライナ語での投稿を書いたこと自体、ウクライナ語を今以上に使いたいと、周囲の仲間や大勢の友人たちに知らせるため行ったのです。

子どものころからロシア語を第一言語として使用していたキーウ出身の女性の回答者は、自分の気持ちについて次のように述べています。

「最近の出来事ですが、私の弟はウクライナ語に切り替えました。私は現在、彼とはウクライナ語で話しています。ちなみに、弟との間では、以前からウクライナ語に切り替える話題はありましたが、ウクライナ語にすることで、私は家族とのコミュニケーションの中で、自分らしさを失ってしまうことを心配していました。プーチンによる侵攻が始まる1日前、弟は私に電話をしてきました。そこで私は彼に、『ユーラ、君がウクライナ語に切り替えるなら、私も100%切り替えるよ。君を待っているよ』と言いました。

当時のポジティブなこの話をよく覚えていますが、電話で話をした次の日に侵攻が始まり私はショックを受けました。そして、この『言語』問題はまだ解決していません。最初この『ロシア語』に対して嫌悪を感じていました。しかし、今その気持ちは少し収まりました」（女性、30代、ウクライナ中部出身、研究者）

南部の出身者で現在キーウ州にいる家族の回答者は、戦争後の家族の言語使用の変化について次のように言っています。

「彼（父）はキーウの近くの防衛軍隊です。彼は朝か夜しか電話しません。彼女（母）は自分からは彼に電話しない約束をしています。電話に出ないことが一番怖いんですから。私も同じように父に電話せず、メッセージだけ送っています。そして彼とはすでに何週間もウクライナ語でコミュニケーションを取っています。（中略）彼にとって他の人とウクライナ語で話すことはとても重要になっています」（女性、20代、ウクライナ南部出身、会社員）

ウクライナでウクライナ軍の兵士として活動している回答者が1人だけいます。彼は日本から帰国してから、2015年からウクライナ軍に入り、現在もウクライナ軍の兵士として活動を続けています。彼は2月24日以降の周りのウクライナ人の言語状況について次のように言っています。

「周りにいる人を見て言えるのは、24日の夜から、この『言語』問題は道義的なものになりました。以前はウクライナ語に切り替えた時に、話し相手と違和感を感じたことがありましたが、今はまったくありません」（男性、40代、ウクライナ中部出身、兵士）

戦争後は日常会話でロシア語を使い続けるつもりはないと答えた在日ウクライナ人は18人（52%）でした。ロシア語を使い続けると思う回答者は16人（47%）で、そのうち6人はロシア語の使用割合が減ると回答していました。「使い続ける」と言った回答者は、次のように述べています。

「ロシア語で話す気は全然ありませんが、多くの知り合いと家族はロシア語を使い続けています。完全にウクライナ語に切り替えることはできません。自分のウクライナ語の能力もそんなに高くないですし。でもウクライナ語を上達させたいとは思います。ロシア語よりスールジクのほうがいいんです」（女性、30代、ウクライナ東部出身、専業主婦）

「はい、子どもたちは今ロシア語しかわかりませんから……」（女性、30代、ウクライナ中部出身、専業主婦）

「ウクライナにいるみんなと日本にいるウクライナ人とウクライナ語で話しています。ロシアの友だちとロシア語を使い続けます」（女性、30代、ウクライナ西部出身、会社員）

「ウクライナでロシア語話者への差別がないことを理解してもらうために、今はわざと人前でロシア語を使い続けています。将来は子どもにウクライナ語教育をもっとさせたいと思います。今はロシア語を使っていますから」（女性、40代、ウクライナ中部出身、専業主婦）

使用割合が減るだろうと思っている方たちの意見は以下の通りです。

「子どもの頃からロシア語を使っていた友だちとはまだロシア語を使っていますが、新しい友だちや知り合いとはウクライナ語を使っています。一人の兵士がビデオで言ったことにモチベーションを受けました。『今はロシア語で話していますが、この戦争が終わったらロシア語で『黙る』ことを約束します』」（男性、20代、ウクライナ中部出身、会社員）

「子どもが生まれたらウクライナ語だけ使います。ロシア語は絶対ないです。私は友だちとロシア語を使っています。マリウポリの友だちですから。そんなに簡単に切り替えることはできませんから。みんな慣れているので、裏切りみたいです。でも子どもとはウクライナ語だけです。今はたくさんの人が、実際に話しているかどうかわかりませんが、インスタグラムはウクライナ語で書いています。私はマリウポリの市民で、市民は少しずつ使用する言語に関する意見を変えています」（女性、30代、ウクライナ東部出身、溶接工）

ウクライナ人の言語意識が少しずつ変化している根拠としては、上記に取り上げた中部のジトーミル州の出身者で、ロシア語の母語話者である回答者の Face Book 投稿を取り上げたいと思います。インタビューの2カ月後、この方は私をタグして、ウクライナの言語問題について考えていることを記載していました。ここに一部を紹介します。

「ウクライナ社会でロシア語の将来を心配している人は多いですね。でもロシア語が消える危機はあるのでしょうか。少なくとも100年間、ロシア語は強制的に私たちの頭に刷り込み、ウクライナ人はロシア語に愛着を覚えています。しかし、ウクライナ人のアイデンティティを消すために、ロシア人が定住するために、ウクライナ人の血がどれだけ流れたか、ホロドモールとか、ロシア語を優先して考えていたのに、ウクライナ語に屈辱を与えたり、消滅させたりしたことがあったでしょう。（中略）歴史的にウクライナ人の意志に反対し、今のようになりましたね。我々のおじいさんたち、祖先は？彼らの言語は何語でしたか。なぜ我々は自分のルーツを忘れているのですか。なぜウクライナ語をより強化させていないのですか。ウクライナへの愛情を強調しながら、言語を別にしています。言語は国家の心ではないのでしょうか。（中略）　私はロシア語話者の家族や多言語環境に育てらました。何年もの間、ウクライナ語を使っていませんでした。話す相手がいなかったからです。私はロシア語を使っている人の中の一人ですが、ウクライナ語を使いたい人の中の一人です。最近までロシア語を守っていて、言語に関して疑問に思わなかった人の中の一人です。私は娘にロシア語を教えていた人の中の一人です。私がなぜウクライナ語を教えていないのかと娘に文句を言われた人の中の一人です。私はロシア語に屈辱を与えようとして言っているわけではありません、私は我々の祖先の言語を大切にすること、勉強すること、普及させることを求めています」（女性、40代、ウクライナ中部出身、専業主婦）

2022 年にロシアによる全面的な侵攻が開始してから、言語に関する世論調査が実施されました。2022 年 3 月の社会調査グループ「レイティング」による世論調査の結果によれば、「あなたの母語は何ですか」という質問に対して 76% が「ウクライナ語」だと答えました。また、同調査における「ウクライナ語は単一国家語であり続けるべき？」という質問に対して 83% が「続けるべき」だと回答しています。

8. ロシア戦争による言語意識の今後の展望

現在のウクライナの言語状況は、300 年以上強制的にロシア語化された、また 1990 年代の独立後の失敗したウクライナ語政策の結果であるといえます。2014 年に始まったロシアによる戦争はウクライナ人のアイデンティティに非常に大きなインパクトを与えました。そして、2022 年 2 月 24 日以降、国家としての存在危機にまで至っている中、ウクライナの将来は現在ウクライナの前線で決まりつつあります。在日ウクライナ人を含め、ウクライナ人にとって、国家、国民、国民的アイデンティティ、独立の意味が強く認識されています。

このような状況の中で、もっとも明確に国民的アイデンティティを表しているウクライナ語に対する意識の変化が見られています。

本調査によって、在日ウクライナ人は、ウクライナ語を使うことだけでウクライナ人らしく感じること、ウクライナ人同士で話す時に連帯を感じること、そして海外にいる中でウクライナ人がロシア人とは異なることを強調することが重要になったことが明らかになりました。

また、言語に対する意識は急に変わるものではありませんが、多くのウクライナ人の中でロシア語の使用が将来的に減少し、ウクライナ語の使用割合が増加するといえるでしょう。

2023 年現在も続くロシア・ウクライナ戦争は、ウクライナ領土でどのような国家が存在するか、その国家にどのような国民が住むのか、またその国民はどのような言語を話すのかなどの、さまざまな問題を解決する実存的な戦争となっています。

5章 ウクライナ人の国民的アイデンティティとロシアによる戦争

本章では、ウクライナ人にとって重要な、ウクライナ人の国民的アイデンティティが戦争によってどのように変化したかを検討したいと思います。そのためにもっとも近年に起きたロシアによるウクライナへの戦争がどのようにして始まったかを説明する必要があります。まず2013年まで遡って解説をします。

写真5-1 2022年2月26日に東京・渋谷駅前の広場にて抗議する在日ウクライナ人
（写真提供：Maciej Komorowski）

1. 2014年のクリミア半島とドンバスへの侵攻

2013年11月21日から2014年2月20日にかけてウクライナの首都キーウのメイン広場で、ユーロ・マイダン（尊厳の革命とも呼ばれる）が行われていました。この革命は、親ロシア派を代表していたウクライナの元大統領であるヴィクトル・

ヤヌコーヴィチが、ウクライナとEUの連合協定への署名を中止し、代わりにロシアやユーラシア経済連合と協定を結ぶという決定をしたことに対する学生の抗議デモから始まったのです。

2013年11月30日にヤヌコーヴィチ大統領が特殊部隊にデモ参加者の鎮圧を命じた結果、平和な学生デモとして始まった運動は、全ウクライナから多くの参加者（もっとも多い日に100万人）が集まる大規模なものとなり、ロシア政府の支配下に置かれていた独裁者であったヤヌコーヴィチ政権の権力濫用への抗議運動に変わりました。

全国で3カ月続いたデモの結果、親ロシア派のヤヌコーヴィチ政権は倒れ、ヤヌコーヴィチ大統領はEUへの加盟を希望していたウクライナ社会の信頼や支援を失い、ロシアへ逃亡しました。そしてウクライナでは親欧米政権が誕生したのです（岡部2016; ショア2022を参照）。

写真5-2 ユーロ・マイダン革命（2013年12月）
（写真提供：リリヤ・ヤヘルニツカ）

2013年にウクライナはEU加盟候補国としてまだまったく見られていなかったにもかかわらず、ウクライナ社会にとってEUと連合協定を結ぶことで、ウクライナが政治的・文化的・価値観的にロシア世界の一部ではなく、欧州の独立国家であることを強調することは、もっとも重要でした。アメリカの政治学者のフランシス・フクヤマ（Fukuyama 2018）が指摘するように、ヤヌコーヴィチ大統領は再びウクライナをロシア勢力圏に引き戻そうとしたことで、ロシアとは異なる道を選んだウクライナ社会の意思を裏切りました。そのため、ウクライナ人はヤヌコーヴィチ政権に尊重されていないウクライナ国民のアイデンティティの中心になっている「尊厳」を守るために、抗議運動を起こしました。

国民的アイデンティティは個人的アイデンティティと同じように、他者との関連に基づき、他者の承認を得ることによって安定します。そのため、ユーロ・マイダンでウクライナがロシアと異なる価値観を共有する国家であり、自由民主主義国家として機能していることを示すことができました。その結果、ウクライナ人の国民としてのアイデンティティが高まりました。

しかしユーロ・マイダンに反発したロシアのプーチン大統領は、親ロシア政権が崩壊したことをきっかけに、2014年2月20日に「ウクライナにおけるロシア語系住民の保護」を理由として、ウクライナへの軍事侵攻を開始し、ロシアの武装勢力がクリミア半島の地方政府庁舎と議会を占拠しました。2014年3月1日にプーチン大統領がロシア議会の上院にウクライナ領内でのロシア軍の使用を認めることを要請し、その日のうちに緊急会議が開かれ、彼の要求は全会一致で承認されたのです。

そして2014年3月16日、ロシアが軍事占領していたクリミア半島で「独立」の是非を問う住民投票が実施され、ウクライナからの独立と「クリミア共和国」の樹立が発表されました。3月17日にクリミア共和国が誕生し、さらに翌日には、クリミア共和国がロシアに編入されることになったのです。このように、戦後69年のヨーロッパの歴史の中で、ロシアは初めて武力による領土奪取を行い、クリミアの併合を実現したのです。

ロシアはクリミア半島へ軍事介入すること、そして偽の国民投票を行うことで、ウクライナの主権および領土保全を犯しました。具体的には、ウクライナ憲法にある「ウクライナ領土の変更は国民投票によってのみ議決できること」(第73条)、そして「すべてのウクライナ国民による投票を行う権利はウクライナの最高議会にある」（第85条）という条文に違反したのです。

次に、ロシアはウクライナの独立国家としての主権を定めている2つのもっとも重要な国際合意も反故にしました。

1つ目は、1991年12月にソビエト連邦崩壊と独立国家共同体創設の合意を証明する「ベロヴェーシ合意」です。2つ目は、1994年12月5日にウクライナが核不拡散条約に加盟することによってロシア、イギリスおよびアメリカの核保有3カ国がウクライナの安全保証を約束するブタペスト覚書です。

同覚書において、露英米がウクライナの独立と主権および既存の国境を尊重することが記載されているのです。ロシアは、ウクライナの安全保障を担うべき役割であるはずが、事実上は侵略国になってしまったのです。それに加え、ロシアはウクライナに対する攻撃的な行動によって、国連憲章で定められている国際社会の基本的原則に違反しました。その中の国際関係における武力の行使を禁止する国際憲法（2条）（1945）、武力行使の禁止と紛争の平和的解決などを規定する「友好関係宣言」（1970）、干渉不許容宣言（総会決議1981）などが反故にされたのです。

ウクライナ、国連、EU、G7などの民主主義国のリーダーが、住民投票とそれに続くロシアによる併合を非難したにもかかわらず、ウクライナはクリミア半島の政治的・軍事的なコントロールを喪失しました。なお日本を含む西側諸国はウクライナの主権・領土の一体性やウクライナ憲法違反などを理由として、クリミア半島の併合は認めていません。

クリミア半島への侵攻に続いて、ロシアでは2014年3月からロシアを後ろ盾とする、武力を用いた反政府の分離主義グループが、ウクライナの東部ドネツィク州とルハンシク州で反ウクライナ（「ロシアの春」とも呼ばれる）抗議行動を始めました。ロシアが分離主義グループをサポートし、ウクライナに反対する、組織的・政治的・軍事的な行動を開始したのです。

ドンバス地方で数カ月続いた分離独立運動の結果、ウクライナはドンバス地方の一部のコントロールを喪失し、ロシアと「宣言」もされていない戦争を開始することになったのです。ロシア軍がドンバスに入ってきたことに関する数えきれない証拠があったにもかかわらず、クリミア半島の侵攻とは違い、ロシアはドンバス戦争の当事者であることを強く否定していました。

ロシアのプロパガンダは、ウクライナで「内戦」(ウクライナ政権と親ロシア武装勢力)が起きているとずっと強調していたのです。なお日本を含むG7の国はロシアを「紛争の当事者」と明確に位置づけています。

2015年2月12日にウクライナは、EUからの平和交渉に向けた圧力を受け、ロシアと仲介国のフランス、ドイツを加えた4カ国による「ミンスク合意」を設定しました。ロシアを後ろ盾とする親ロシア派武装勢力とウクライナ軍による戦闘の停止など和平に向けた道筋を示したのです。

同合意には外国部隊と雇い兵の撤退の他、ウクライナ政府が親ロシア派武装勢力と直接対話し、自治権などの特別な地位を与えることも明記されています。正直なところ、ウクライナ国内ではこの合意がウクライナの領土主権の危機を悪化させ、合意そのものがロシアに有利な内容であると大きな不満もありました。

このような合意があったにもかかわらず、ロシアと分離主義者はこの8年間停戦さえ実行せず、さらには、ウクライナ側が合意を実行せず武力解決を試みていると主張を続けていたのです。

ロシアのメディアが立ち入れないウクライナの地域のため、ロシア側は「ウクライナ軍から地元住民が攻撃を受けた」というフェイクニュースを流していました。それに加え、この8年の間ロシアは、ウクライナがロシアに侵攻する恐れがあると指摘し続け、ロシア国民に対して反ウクライナの意識を醸成していたのです。国連によると、ロシアによる侵略で、2014年2月14日～2021年6月30日までに4万2,500～4万4,500人もの市民や兵士が死傷しています。

(1) ロシア世界

第3章で説明したように、ウクライナ侵攻の背景には、ロシアで2000年代後半に誕生した「ロシア世界」(ルースキー・ミール)という政治思想が大きく存在しています。「ロシア世界」思想は、正教の信仰・東スラブ民族のルーツ・ロシア語という要素を強調し、「ロシア人」をロシア連邦の住民やロシアの民族性を有する人々だけでなく、ロシア語・ロシア正教・ルーシ文化を共有するすべての人であるとしているのです(Kuzio 2020; Snyder 2018)。また、この思想は、ロシア人の「特別な精神性」と「独自の文化圏」の存在を強調するロシアの帝国主義思想ともいえます。プーチン大統領をはじめとする「ロシア世界」を代表する思想家からすると、キーウ・ルーシ大公国を同じ起源とし、ロシア語話者とロシア正教の信仰者が多いウクライナやベラルーシが対象に含まれます。

2010年代以降「ロシア世界」のナラティブがロシア国民教育、そしてロシアのマスメディアの一部になり、ロシア国民の意識にも当然影響を与えているでしょう。2014年に「ロシア世界」というスローガンは侵攻されたクリミア半島にいたロシア派にも利用されていました。

また、2014年の軍事介入後、プーチン大統領はドンバス地方を含める東部と南部のウクライナのことを「ノヴォロシア」(ロシア語で「ノヴォ」は「新しい」という意味を持ち、いわゆる新ロシア)と頻繁に呼び始めました。「ノヴォロシア」という18世紀末にロシア帝国に征服されたウクライナの黒海北岸部地域を指す歴史的な地域名を復活させることにより、プーチン大統領にとってそのウクライナ地方が、今でもロシア領の一部であることを明確にしようとしたのです。

(2) 在日ウクライナ人の2014年についての思い出

多くの日本で暮らすウクライナ人は、同じく日本で暮らす親交のあったロシア人と、クリミア半島の合併とドンバスの占領に関する認識に違いがあり、お互いを理解できなかったと語っています。当時、知り合いの在日ロシア人がロシアによる不法占拠に対する抗議の意思を示していなかった、またクリミア合併に賛成していたため、ウクライナ人は在日のロシア人に対して不安と悩みを感じていました。

「彼ら(ロシア人)は、私たち(ウクライナ人とロシア人)が兄弟だと言っているでしょう。しかし戦争が始まってから、私の(友だち)は、『たいしたことじゃない。クリミアはうちに戻っただけでしょう』と軽く言っていました。これを何度も聞いた時、とても不安を感じ、彼らに『今、ウクライナで起きていることがわかっているの?』に尋ねてみました。このことに対して、彼らは『私は何も理解できない。これは政治だ』と言っている」(女性、30代、ウクライナ中部出身、芸術監督)

「なぜウクライナの領土はロシアに編入されなければいけないのか? ウクラ

イナはソ連の一部だったため、ウクライナ全国でロシア語もウクライナ語も話している人は多い。ロシア語を話している私はロシアに領土の一部をあげると言うわけはない。私はロシア語を話していても自分のことをロシア人だと思ったことはありません」(女性、30代、ウクライナ中部出身、ウクライナNPO法人職員)

ウクライナ人は、ロシア人がロシアによるクリミア半島の編入を支持していることを知った結果、多くのロシアの友人と疎遠になったと語っています。

「残念ながら当時ロシアを支持しているロシア人の友だちは多かった。そして、私と親がウクライナ西部の出身で、『バンデーリウツィ[42]』(笑)なので、彼らと話さないほうがいいと決めました。とても辛かったです」(女性、30代、ウクライナ中部出身、音楽家)

「多くのロシア人との関係を大規模に断つことになりました。民族的なロシア人、非民族的なロシア人、ヤクート人、いろいろいます。チャンネル1が彼らの頭に入っていると感じたら、それはもう『バイバイ』です」(男性、50代、ウクライナ東部出身、翻訳者・編集者)

この男性は、ロシアが2014年にウクライナに侵攻して以来、「チャンネル1」のようなロシア国営テレビでウクライナ侵攻に関するプロパガンダや偽情報が発信されていることで、ロシア人が知る情報と現地で起きていることとの間には「プロパガンダの壁」があるということを示しているのです。そのため、彼らと友情関係を続けることは難しくなったと語っています。

注42)「バンデーリウツィ」という単語はウクライナの政治家ステパン・バンデラ(1909～1959年)に由来している。バンデーラは、ウクライナ国民独立運動を指導し、特に1940年代以降に反ソビエト運動を起こしていたため、ソ連および1991年以降ソ連のイデオロギーを引き継いだロシアでは「反ソ・反ロシアの敵」として認識されている。ソ連時代以降、ロシアへ反対しているウクライナ人は「バンデーリウツィ」(バンデーラたち)とよく呼ばれている。

(3) ソビエト・マインド

2014年以降ウクライナ人とロシア人の間で「理解できない」関係が始まったことを説明するために、ソ連時代に生まれた「ナーシ」(ウクライナ語は「наші」) という概念を紹介する必要があります。

ソ連の指導者だったレーニンは、ソ連に住んでいた種々の民族による「ソビエト国民」という共同体を構築する必要があると訴えました。そのために、200近くの民族を有していたソ連の民族的な多様性をロシア語とロシア文化で統一する、いわゆる「ソビエト・マインド」を形成することがソ連のイデオロギーの一つになったのです。そのイデオロギーは1970年代に流行っていた歌が明確に示しています。

「私の住所は家でも通りでもない、ソビエト連邦だ!」

ロシア帝国の領土をほぼ継承したソ連は、基本的に名前と指導者だけ置き換え、ロシア人国家にソ連の意味を持たせました。このようにロシア文化を基に人工的に形成された「ソ連文化」と「ソビエト・マインド」が生まれたのです。

彼らは必要な歴史的記憶を構築しました。「ソビエト・マインド」の特徴の一つとして、「うちの」(ナーシ) /「うちのではない」(ネーナーシ) という概念がありますが、「うちの」は基本的に「ロシア語を話せるソ連の住民」という意味を持ち、「自分側のソ連世界」と「外部の世界」の対立を示していました。特に、「ナーシ」という表現は海外にいるソ連の人々が自己と他者の関わり方を示すためにも用いられたのです。

全面的なロシア侵攻が開始する前に、筆者はインタビュー調査で、「日本に住んでいる間に旧ソ連の人々に対して『ナーシ』という表現を使っていましたか?」という質問を行いました。41人の第1期の調査協力者の中で11人は「ナーシ」を一般的に用いたと答えていました。例えば、ウクライナ東部のハルキウ出身の人は「ナーシ」を次のように説明しています。

「ナーシはソ連生まれの人たちです。例えば、海外旅行に行く時に、ロシア語が聞こえたら、『お、これはナーシだ!』と言う。ナーシは私にとって同じ言語(話者）を意味しています。この人は良いか悪いか関係なく、私と同じ言語を使っている人は『ナーシ』です。私にとってロシア人、カザフスタン人、ウズベキスタン人の区別はありません。彼らはナーシです」（男性、40代、ウクライナ東部出身、スポーツトレーナー）

「ナーシ」を使用していた回答者の説明からすると、この概念は基本的に旧ソ連の出身者でロシア語を話せる人であることがわかります。それに加え、南部のミコライウ市出身のウクライナ人女性は、「ナーシ」のそれ以上の特質としてスラブ人に属することを示しているといいます。

「ナーシはスラブ人です。スラブ人の外見をしている人たちです。アゼルバイジャンやウズベキスタンのような国はナーシとは言えないんです」（女性、40代、ウクライナ南部出身、エステティシャン）

この女性の説明によると、ソ連時代に産業が豊かだった南部のミコライウに特にロシアから多くの労働者が移動してきた結果、ミコライウ市に住んでいたウクライナ人は言語をロシア語に切り替え、ロシア語が共通語になったといいます。

また、当時、学校でウクライナ語を子どもに習わせないことにしたミコライウ市民は珍しくなく、このような考え方は、多民族国家だったソ連で行われていた同化政策の結果でもあるのです。ソ連国民がロシア語で統一されていること自体がただの歴史的な結果であることや、ロシア以外の民族が小民族として扱われロシアに差別を受けていることを意識していないソ連生まれのウクライナ人は少なくありませんでした。

そして、ソ連の解体の後も、特にロシア人、ベラルーシ人、ウクライナ人で、お互いにソ連の歴史的・文化的な共通性があると思い続けたソ連住民は、「ナーシ」に位置づけ続けられていたのです。

「日本に引っ越す前、日本の生活に早く慣れるためにいろいろなコミュニティを探し始めました。その時、『ナーシ』、いわゆる『ロシア語話者』のコミュニティはありましたね。日本に来てから、一度そのコミュニティに行ってみました。そこにはロシア人、ウクライナ人、モルドバ人、カザフスタン人などの旧ソ連の人々がいました。一度だけ行ってみたら、何か違うことに気づきました。精神的な安らぎや満足感を得ることはできませんでした。まあ、あまり快適ではありませんでした。その時以降、ロシア語を話すコミュニティに対して『ナーシ』という言葉を使うのをやめました」(女性、40代、ウクライナ東部出身、教師)

肯定的に答えた人の中で、2014年以降「ナーシ」を旧ソ連の住民に対して使わなくなり、ウクライナ人に対してだけ使用し始めたと強調している人もいました。

「2013年までは私たち『ウクライナ人とロシア人』は『ナーシ』でした。日本でロシア語を教えていた時『私はウクライナから来ました』といつも説明していましたが、『ナーシ』のコミュニティはありましたね。そして2013〜2014年に誰が『ナーシ』、また誰が『ネーナーシ』であるかという区別は明確になりました。今はこの単語をまったく使っていません。2013〜2014年に、私の立場を理解できないいろいろな人たちと話せなくなりました」(女性、40代、ウクライナ東部出身、通訳者・翻訳者)

「『ナーシ』という概念は、そうですね、ロシア語圏のすべての国を意味しています。旧ソ連の国の人々は、2014年までは『ナーシ』だったのです」(女性、40代、ウクライナ西部出身、介護士)

「最初は使っていました。今は私たち『ウクライナ人とロシア人』は異なる人々であることを説明しようとしています。同い年、少し年上年下の人々は、ソ連政治制度、ソ連の学校、同じような映画、歌、ソ連文化で育てられたのです。もしロシア人がある映画について話したら、私はその映画を絶対知っているはずです」(女性、30代、ウクライナ西部出身、専業主婦)

「『ナーシ』はロシアのプロパガンダの手段ですね。6〜8年前にこれを理解して以降は使わないようにしています。以前に使っていたかというと、たぶんロシア人と話す時に『旧ソ連』の意味で使っていました」(男性、50代、ウクライナ

東部出身、翻訳者・編集者）

ナーシを使用していた回答者の年齢からすると、ナーシを理解しているのは、基本的にソ連生まれ、ソ連の教育を受けたウクライナ人に多いことがわかります。一方、独立後のウクライナ育ちのウクライナ人は、この概念を持っていないと答えます。

「いえ。たしか7年生か8年生の時だったかな。学校でサンクトペテルブルクに遠足に行ったのを覚えています。サンクトペテルブルクの美しさ、冬の宮殿、ペテルゴフ、美術館を見ていました。でも自分が海外にいることははっきり理解していました。つまり、旧ソ連の、大雑把に言うとソ連の市民のようにソ連国内にいること、すべてが自分のものであるような印象ではありませんでした。子どもながらに『ここは外国だ』とはっきり認識していました」（男性、20代、ウクライナ中部出身、会社員）

「ウクライナ人としてのアイデンティティがより明確になり始めたのは、2013年から2014年にかけてだと思います。2012年に韓国に行って、そこでお祭りがありました。民族祭だったと思うのですが……。その時にキルギス人たちに会って、彼らに『ナーシ』と呼ばれたら、『ナーシなの？待って、私はロシアに行ったことがないんです。旧ソ連の中でベラルーシしか行ったことないんです』と思いました。よく知らない人たち、行ったこともない国の人たちに責任を持ちたくないのです。たしかに、私たちには共通点があります。言語であれ、子どもの時のアニメであれ、映画であれ。しかし、彼らが言うことに、私はあまり関わりたくなかったのです。私はウクライナに対する責任を取りますが、他の国に対しては責任を取りたくないのです」（男性、20代、ウクライナ南部出身、大学院生）

「ナーシ」という概念は、ソ連神話に基づいたソビエト・マインドが構築された証拠なのです。そしてこの概念の使用の頻度からすると、ソ連崩壊から2014年に開始したロシアによるウクライナ侵攻に至るまでに多くのウクライナ人は、ロシア人との友好関係を続けるつもりだった結果だったともいえるでしょう。

（4）国民的アイデンティティの変化

1992 年のキーウ国際社会学研究所のウクライナの人々に対する調査結果によると、「あなたは何よりもまず自分を何者と見なすか？」という設問に対して、「ウクライナ国民」という回答が 69% でした。当時、24% の回答者が「ロシア国民」、12.7% が「ソ連の国民」と回答していました（Луканська 2021）。さらに、1992 年から 2004 年にかけて自分をウクライナ国民だと考える人の割合はあまり変わっていませんでした。

そして、2004 年にオレンジ革命が起きた際、「ウクライナ国民」とする回答者は初めて 50% を超えました。その時以降、ウクライナの人々の国民的アイデンティティは目立って強くなっていったのです。

ウクライナの社会調査グループ「レイティング」の調査結果によると、2008 年から 2014 年にかけて、ウクライナ住民の中で国民性に関する質問は常に安定した分布を示し、回答者の約 83% が自らを「ウクライナ人」とし、約 15% がロシア人だと回答していました。

しかし 2014 年に入ると、2013 年のユーロ・マイダン、ロシアによるウクライナ主権および領土保全への違反、またドンバス情勢の悪化の影響を受け、ウクライナ人は自己のアイデンティティの危機を感じ、国民的アイデンティティの受け止め方に強い肯定的な変化が起きました。2014 年以降、ウクライナの人々の間で、ウクライナ人としての意識が徐々に強まっていると多くの世論調査の結果が示しています。

2014 年にウクライナ国民の中で自分のことをロシア人とする回答者は 11% に減少し、ウクライナ人は 87～88% まで増加しました。この数字は、過去の調査の中で最大となっており、またウクライナが独立してから大幅に増えてきたことがわかるものです。一方で、自分をロシア人だと思う人たちは、この 9 年間で徐々に減ってきています。

2014 年以降、在日ウクライナ人の中でもウクライナの国民的アイデンティティが高まり始めています。多くの在日ウクライナ人は旧ソ連の人々との関係の中で葛藤に直面したことで国民的アイデンティティを確立し始めたと語っています。ロシア人との関係の中でウクライナ人の個性に気づき、ウクライナ人のアイデンティティ形成においてロシア人と異なるメンタリティを持っていることを強調するのです。

2014年に開始したロシア・ウクライナハイブリッド戦争に対して、ウクライナ人は「この事件」「このコンフリクト」という言葉をしばしば使い、自分自身の国民的アイデンティティの転換を明確に意識したと説明しています。

「この事件があってから、私はウクライナの歴史と文化にもっと興味を持つようになりました。20代の時にウクライナの伝統より、たぶん自分自身と周りの世界に興味がありました。今、ウクライナに住んでいた頃よりウクライナを一番身近に感じているかもしれません。そして、ウクライナについて調べたり、いろいろ理解したりすることによってウクライナの歴史と伝統に誇りを感じ始めているのです」（女性、40代、ウクライナ東部出身、通訳者・翻訳者）

「バンドゥラ」というウクライナ楽器を弾いているウクライナのミュージシャンは自分自身のことをウクライナ人だとより強調し始めたと語ります。ウクライナの独自文化と歴史を説明する必要性が高まっているからです。

「今まで、コンサートでは『私はウクライナ出身で、ウクライナの楽器を演奏しています』とだけ言っていました。ウクライナで起こった出来事の後、私はウクライナとは何か、どこにあるのか、どんな歴史があったのか、今はどんな歴史なのか、なぜそうなったのかをより強調するようになりました」（女性、30代、ウクライナ中部出身、音楽家）

2014年にロシアに占領されたドネツィク州の出身でロシア語話者のウクライナ人は、自己意識の変化についてこのように語ります。

「このコンフリクトまでは、私がウクライナ人であることをあまり意識したことはありませんでした。でもこの残酷なことが始まった時、私はなぜか自分自身がウクライナ人であることを初めて意識しました。ロシアが皆にロシアパスポートを配布し始めた時、私はそれを望んでいないことを理解しました。親にも『ロシアパスポートは絶対ない！』と禁じ、私たちはずっとウクライナ人だと強く言いました」（女性、30代、ウクライナ東部出身、専業主婦）

ソ連・ロシアの歴史の中で、兄弟民族として紹介されているウクライナ、ロシア、ベラルーシの3カ国の関係性に対しても認識が変わった人がいます。

「この事件で変わったことは、今まで、ウクライナ、ロシア、ベラルーシという国には共通点があると思っていたのですが、ソ連ということで、それだけだったのかもしれません。今思うと、共通点はそれだけで、他には何もないのかもしれませんね」（女性、40代、ウクライナ東部出身、教師）

上記に述べたような状況下で、ロシアがウクライナを「自国の勢力圏」にとどめようとしていることを意識したウクライナ国民の中で、アイデンティティに対する変化が生じたのです。

2014年以降、ウクライナ国民の政治的独立という当然の権利の実現を阻止するため、すなわちウクライナの国民国家としての形成過程を阻止するため、ロシアはウクライナに対する戦争を計画し、武力を解き放ち実行しています。その結果、当然ながらロシアから分離するというプロセスが見なされていました。

2. 2022年の全面的な侵攻

2021年後半には、ロシアはウクライナとの国境周辺にロシア軍部隊を大々的に集結させました。そして2022年2月21日に、プーチン大統領はウクライナ東部（ドンバス地方）をめぐる2015年のミンスク和平協定を破棄し、すでに8年間分離派によって占領されていたルハンシクとドネツィク州の領土を一方的に「共和国」という名をつけた地域として独立を承認しました。

2022年2月24日の夜明け前、ロシア国内向けのテレビ演説でプーチン大統領は、ウクライナ東部でロシア語系の住民をウクライナ軍の攻撃から守るため、そして今のウクライナがロシアにとって脅威であるため、「ロシア、そして国民を守るには他に方法がなかった」と主張しました。それに加えて、ロシアの敵と見なされている北大西洋条約機構（NATO）の東方拡大は安全保障上の脅威であるとし、NATO 拡大に対抗する「正当防衛」を理由にし、ウクライナで「特別軍事作戦」を開始することを宣言したのです。

このように、ロシアは、国際憲法に違反し、国際秩序を否定して、ウクライナが主権を有する領土に大規模な侵攻を開始しました。ウクライナの東部で約 8 年間続いていたロシアによるハイブリッド戦争は全面的な規模になり、ヨーロッパで第二次世界大戦以降の大規模な戦争が始まりました。2 月 24 日のウクライナの朝 4 時半ごろ、世界第 2 位の軍隊を持ち、世界最大の核兵器を保有しているロシアは、北、東、南の三方向から本格的な軍事侵攻を開始しました。

写真 5-3 2022 年 2 月 26 日に東京・渋谷駅前の広場にて抗議する在日ウクライナ人と日本人
（写真提供：Maciej Komorowski）

ウクライナ国民がロシアに激しく反発する徹底抗戦ができると思った世界の政治家と評論家は極めて少数でしたが、全面的侵攻が始まったばかり（2022 年 3 月）の頃、以前にもインタビューに参加したことがある在日ウクライナ人に、ロシアの全面的な侵攻の目標についてどう考えているか、また侵攻を受けての心情を尋ねてみました。

当時のウクライナ人の苦しい精神的な状態にもかかわらず、34 人の在日ウクライナ人の協力を得ることができました。すべてのインタビューの重要なポイントとしては、ウクライナ政権を倒すために首都キーウを占領することを予定していたロシア軍の計画が失敗し、2022年4月6日にロシア軍がウクライナの首都キーウ周辺と北部チェルニヒウ、スームィ周辺から完全に撤退することになることを、まだ知らなかった点でした。

（1）ロシアの全面的な侵攻の可能性を考える

協力者への「全面的な戦争が始まると思いましたか」という質問に対して、18人が「はい」と回答しました。戦争が始まると思った人の中に、下記のような理由が挙げられています。

「はい。2014年にロシアはすでにウクライナ（クリミア半島、ドネツィク、ルハンシク）に侵攻したからです」（女性、40代、ウクライナ東部出身、教師）

「まったく驚くことではありませんでした。しかしこんなに残酷になるとは思いませんでした。私たち『ウクライナ人とロシア人』の違いについては、私が1993年に来日し、実際にロシアで育てられたロシア人の世界観と接してから明らかになりました。モスクワ近郊にいる親戚もいました。2014年に彼らと話してみましたが、お互いを理解することは無理だとわかりました。私たちはとても違っており、別の方向に向かっています。彼ら『ロシア人』は『ロシア人が』ウクライナにウクライナ人を殺しに来ていることをよく理解しています」（女性、50代、ウクライナ中部出身、教師）

「2014年以降、プーチン大統領がクリミア半島とドンバスで満足できると思いませんでした。いつもそう感じていました。ロシアの犯罪に対する不処罰と他国の無関心は、プーチン大統領の帝国主義的な野望と多数のロシア人の『欲』を高めただけです」（女性、40代、ウクライナ西部出身、タレント）

「全面的な戦争が始まる可能性は半々だと思っていました。プーチン大統領は、ウクライナを占有することと、侵攻によるロシアの経済的な損失の間で選ぶと思っていました。どちらを取るのかがわからなかったので、半々です。しかしドネツィク州とルハンシク州を完全に占領する可能性に関しては、80%ほどだと

思っていました」（男性、30代、ウクライナ中部出身、政治評論家）

「はい、考えていましたが、信じたくはなかったです。ロシアは、2014年にすでに『侵攻』をしました……。それ以来、私と両親の生活は大きく変わりました。親は家、友人、仕事を失いましたが、彼らはまだ平和なホルリウカに住んでいた時になかったものを、ハルキウの新しい生活とともに多く手に入れました」
（女性、30代、ウクライナ東部出身、英語講師）

「はい、思いました。しかしこんなに早く実現するとは思っていませんでした。2014年以降、ウクライナ東部の戦争がエスカレートし、他の地域に広がる可能性があることは明らかでした。しかし、まさかロシアがウクライナ全土を同時に攻撃する勇気があるとは思いませんでした。クリミア半島に近い南部地域や、ルハンシク、ドネツィク、もしかしてハルキウ州が危険であることは想定していました」（女性、20代、ウクライナ西部出身、会社員）

2014年以降のロシアによるクリミア半島とドンバスへの侵攻で不安定な状態が続き、ロシアへの不信感も常にあったため、多くのウクライナ人が全面的な戦争が始まると考えていました。しかし回答者の中で全面的な戦争は始まらないと考えていた人もほぼ半数いたことも事実です。つまり、多くのウクライナ人は危機感を持たず、全面的な戦争を想定できず、ロシアによって脅かされているだけだと考えていたのです。

「100%『いいえ』です。戦争とは自国を滅ぼすことです。戦争に100%の勝者はいません。ロシアはウクライナを嫌っているというより、自国を大切にしていると信じていたからこそ、侵攻の可能性を考えなかったのです」（女性、40代、ウクライナ西部出身、英語講師）

「いいえ、悪い夢でも戦争が現実になるとは思ってもみなかったです」（男性、20代、ウクライナ中部出身、会社員）

当時、全面的な戦争が始まると信じなかったウクライナ人が多いという明らかな証拠として、民間人の死亡者数と国内と国外へのウクライナ避難民の問題があります。

（2）ウクライナ国家を消滅させたいロシア

次に、ロシア侵攻の目標について尋ねてみました。もっとも多かった回答（8割以上）は、ウクライナ国家を破壊することでロシアを拡大することが目標であるという答えでした。ロシア政権がウクライナ国家を消滅させることでソ連の復興を目指しているとよく指摘を受けました。

写真 5-4 2022 年 2 月 26 日に東京・渋谷駅前の広場にて抗議する在日ウクライナ人
（写真提供：Maciej Komorowski）

「我が国を占有し、ウクライナの歴史を自分のものにするためです。そして、許される限りまでロシア帝国を復活させるため、さらにヨーロッパに進出するためです。ウクライナの言語と文化、ウクライナのすべてのものを消滅させるためです。ウクライナを消滅させるためです」（女性、40 代、ウクライナ西部出身、タレント）

「ウクライナが自由に発展できないようにすることです。ウクライナが民主的な社会を作ることができないようにです。ウクライナで、ロシアが完全に支配する政権を樹立することです。『帝国』に新しい領土を編入することです。ウクライナ人の自由を奪うことです」(女性、30代、ウクライナ中部出身、芸術監督)

「戦略的にウクライナ人の国家としてのウクライナを破壊することです。戦術的に、戦略的な目標を達成するために、ウクライナの指導者を退陣させ、ウクライナに『傀儡(かいらい)政権』を樹立することです」(男性、30代、ウクライナ西部出身、音楽プロデューサー)

「ウクライナ国家を消滅させ、ウクライナ領土をロシアに併合することです」(男性、30代、ウクライナ中部出身、政治評論家)

「ロシアは、我々の長い歴史を手に入れようとしています。そのためには、我々の言語と文化を破壊し、愛国者を殺し(実際に彼らはすべての人を無差別攻撃しているが)、我々の国家を破壊するつもりです」(女性、30代、ウクライナ東部出身、英語講師)

回答者は、ウクライナ人とロシア人の間の価値観の違いにも侵攻の理由があると説明しています。ウクライナはソ連の崩壊後、西「EU」と東「ロシア」の間で政治的な揺れがありましたが、2014年からウクライナを収奪してきたロシアから離れ、EUに加盟することをこの8年間熱望してきたのです。

「ウクライナは1991年以来、ロシアとは異なる道を歩んでいます。例えば、ウクライナとロシアの価値観、特に自由と安全に対する価値観は異なっています。私たちは自由を選び、彼らは安全を選びます。その結果、私たちは民主主義に傾き、彼らは独裁主義に傾くのです。そして、この2つのシステムは、長い間対立せずに存在することはできません」(男性、30代、ウクライナ中部出身、英語講師)

「ウクライナ人は、自由を愛する人々で、何世紀にもわたって独立の権利を守り続けていました。一方で、ロシアでは、民意の自由と意志が常に抑圧されてきました。ですので、ロシア政府やロシア大統領は、このようなウクライナ人の自由と民主主義の意志がロシアにとって危険であり、ロシア人に悪影響を与える可能性があり、そしてロシアの大衆の不満を引き起こし、真実が明らかになり得ると思っていたのではないでしょうか」（女性、40 代、ウクライナ東部出身、教師）

（3）ウクライナはロシアの帝国主義的な野望

ロシアがウクライナ国家を消滅させたい理由として、過半数の回答者がロシア帝国主義思想に結びつけています。ウクライナ人のナラティブには「帝国を復興させる」、そして「プーチン大統領の帝国主義的な野望」という表現は頻繁に現れてきます。

写真 5-5 2022 年 2 月 26 日に東京・渋谷駅前の広場にて抗議する在日ウクライナ人
（写真提供：Maciej Komorowski）

「ソ連の一部だったすべての共和国を再興するというプーチン大統領の帝国主義的な野望です。これを望んでいないのはウクライナだけです。戦争を利用して強制的に編入させようとしているでしょう」（女性、20 代、ウクライナ西部出身、会社員）

「ロシア帝国を拡大するためです。なぜなら帝国が拡大しなければ滅びてしまうからです」（女性、40 代、ウクライナ東部出身、音楽家）

「ロシアの『偽りの帝国』を復興させるためです」(女性、40代、ウクライナ西部出身、介護福祉士)

「ロシア寄りだと思われている領土を占領することで、帝国主義的な野心を満たすこと」(女性、20代、ウクライナ西部出身、会社員)

「ソ連ではロシア連邦共和国とウクライナ連邦共和国がもっとも重要なソ連の構成国でした。他の共和国は、この2つの共和国のお金で生きていました。彼らは、ウクライナがなければ、世界征服計画も、帝国主義の計画も実現できないことを、理解しているのです。彼ら『ロシア』は、レーニンが描いた大ロシア人、小ロシア人、白ロシア人が同じであるというスラブ民族の統一についての作り話の通りを作り出したいのでしょう。彼らは、私たちなしでは経済的にもイデオロギー的にも何もできないので、強制的に私たちを取り戻したいという大きな欲望があるのです。しかも、早く取り戻すことができると思ったみたいです」(男性、40代、ウクライナ中部出身、研究者・現在ウクライナ軍の兵士)

「この戦争にはいくつかの側面があると思います。まず、一般的な帝国の野望、帝国を復興させるために、ヴォロディーミル1世になりたいプーチン大統領の願望です。しかしこれだけではありません。旧ソ連の国の中では、バルト諸国を除いて、ウクライナだけが民主主義を進めています。常に選挙が行われ、ロシアやベラルーシのように20年間支配する大統領もいません。最近も2回革命が起きました。オレンジ革命とマイダンです。つまり、ウクライナ人は革命を起こして政権を変えることができることをロシア人に示し、違う可能性を示しています。ところが、隣国の独裁国家はこのような自由、独立、解放という概念を受け入れられません」(女性、40代、ウクライナ中部出身、移住コーチ)

ロシアは、ロシア帝国時代以降、住民に帝国主義思想を押しつけ、ロシアが世界に比類のないような「偉大なロシア」であると思わせてきました。その結果、ロシアには特別な「偉大さ」があるという思想の伝統が続き、現在も「偉大なロシア語」と「偉大なロシア人の精神」などの概念が一般用語のように使用されているのです。ウクライナ人は、今日のプーチン大統領のウクライナへの侵攻政策の中でも、ロシアの「偉大」概念を指摘しています。

「私たちの領土を奪うためです。全世界にロシアが『偉大』な国家であることを見せるためです。怖がらせるためです」（女性、30代、ウクライナ中部出身、ウクライナNPO法人職員）

「ウクライナを国として、国民として貶めるためです。ロシアが他国より優れている特別な国であることを世界にアピールしたいからです」（女性、40代、ウクライナ南部出身、エステティシャン）

「ロシアは先天的に優位な立場にあるため、ロシアやロシア人は近隣の国や民族にロシアの利益になるような生き方を強いることができるという排外主義的な思想を持っています」（男性、20代、ウクライナ南部出身、大学院生）

「ロシアの本音は、自己主張のためには必ず戦争が必要だということです。彼らの国民意識は、自分たちがいかに偉大であるかです。つまり、彼らのアイデンティティは、帝国であること、偉大であることです。彼らが言うように、国土が世界の7分の1であることです。彼らはこのことをとても誇りに思っていて、そのために行動するのです。そして、人々の生活がどんどん悪くなり、客観的に見れば食べるものもなく、権利もなく、展望もない時に、彼らの中でこのプライドと見栄だけが残っています。彼らの政府はそれだけを与えています。ロシアの危機の後に、必ず小さな『勝利ができた戦争』があるはずです。そのために、彼らは攻撃したのです」（女性、30代、ウクライナ中部出身、研究者）

「ロシア人が長い歴史を通じてウクライナ領土を自分たちのものだと考えていたからです。もちろんこれは嘘であり、完全に誤った認識ですが、彼らは何世紀にもわたって、18世紀の初め、ピョートル大帝以来、この誤った考えを歴史的な事実であると思っているのです。ロシア人は大ロシア人と小ロシア人で構成されているというような、彼らの世界観がずっと残っています。これは彼らの教科書に書いていることでもあり、すべてのロシア思想家はそう考えていたのです」（男性、30代、ウクライナ中部出身、政治評論家）

（4）ウクライナとロシアの歴史観の違い

ほとんどの人はロシアの独自の歴史観や国家観がこの戦争に影響していると指摘しています。回答者はさまざまな歴史的な事実を取り上げていますが、その中でも、ロシアによるキーウ・ルーシの後継者の歴史の誤った解釈と、プーチン大統領の「ロシアとウクライナの一体性」「ウクライナに国家の実体はない」というナラティブについて非常に多くを語っています。

「ロシア帝国は、どのような形であれ、ウクライナ・ルーシの歴史、文化なしに存在ができず、我が国の独立を認めようとはしないのです」（女性、40代、ウクライナ東部出身、通訳者・翻訳者）

「この戦争の深い理由は、ロシアの歴史の解釈と関係があります。プーチン大統領の考え方は、ロシアの教科書に書かれているロシア社会と歴史の産物です。ロシアの歴史では、現代のウクライナの土地は、帝政時代に占領された土地ではなく、ロシア人の本来の土地であると考えられているのです。彼ら『ロシア人』は私たちの領土の歴史を自分たちの国に引きずり込もうとしているのです。なので、彼らは私たちと一切別れることができません。おそらく彼らは、ウクライナが自分たちとヨーロッパをつなぐ唯一の関係であり、その関係で自分たちはヨーロッパ人らしさ（文化や習慣）を手に入れ、スラブ主義とつながると信じているのでしょう。モスコヴィッツはスラブ人ではなく、モクセル、メリャ、フィン・ウゴル民族の子孫で、スラブ族とは関係ないのです。ウクライナを失えば、取り返しがつかないほどアジアに戻り、アジアの国と見なされ、スラブ族の遺産を失うことになります。でも、文化的・歴史的にヨーロッパはアジアより優れているのか、そしてなぜスラブ族はフィン・ウゴル族より優れているのか、まったく理解できません」（男性、20代、ウクライナ中部出身、会社員）

「歴史が繰り返しています。アンドレー・ボゴリュブスキーによるキーウへの攻撃、バトゥリン悲劇[43]、1775年のシーチの破壊、マクノフ派の大虐殺、1945年以降の西ウクライナにおけるパルチザンの抵抗活動など。ホロドモールやウクライナ語の禁止はもちろんのことです」（男性、30代、ウクライナ中部出身、英語講師）

2014年以降、プーチン大統領は、「ウクライナは主権国家でない」と何度も主張してきました。2014年に、ユーロ・マイダンの末に失脚した親ロシア派のヤヌコーヴィチ大統領の後に、ウクライナ大統領に当選したペトロ・ポロシェンコ氏、そして2019年に当選したヴォロディーミル・ゼレンスキー氏の存在を認めていませんでした。

プーチン大統領がウクライナを独立した国家として認めていなかった明確な証拠としては、2021年7月に発表されたプーチン大統領の「ロシア人とウクライナ人の歴史的一体性について」と名づけられた「論文」でした。

その論文の中で、プーチン大統領はキーウ・ルーシ以来の1000年を超える歴史を振り返った上で、ロシア人とウクライナ人が歴史的に1つの民族であると主張したのです。そのため、プーチン大統領の帝国主義的な観点からはウクライナはロシア領土に収まることになりました。それに加え、彼は「ウクライナ人」という国民はソ連時代にレーニンによって作られたものにすぎない、またウクライナの歴史が100年しかないなどと解釈したのです。

このようなプーチン大統領の歴史認識はウクライナと西側諸国の歴史学者（セルヒー・プロヒー[44]、ティモシー・スナイダー[45]など）に強く非難されましたが、プーチン大統領の独自の歴史観や国家観による、今のロシア政権の目標がウクライナ国家を破壊することであると、多くのウクライナ人にとって明らかになってきたのです。

注43）バトゥリン悲劇（Різанина в Батурині）とは、1708年にピョートル1世はイヴァン・マゼーパが自国の独立を企てスエーデンと手を結ぶことを知った時に、ヘーチマン国家の首都だったバトゥリン市を破壊させる命令を出した。モスクワ軍は年齢や性別を問わずバトゥリンの住民全員を殺害した。当時、バトゥリンの住民は1万1,000～1万5,000人が死亡したと言われている。

注44）Financial Times, "Serhii Plokhy: Putin's imperialist narrative is 'being crushed'", 2022.07.01.

注45）Euromaidan Press, "Tymothy Snyder: Putin's essay on Ukraine creates mythical history to cover foreign political failures", 2021.08.12.

「ウクライナ人とロシア人は歴史的に一体だ」「ウクライナ語はロシア語の方言」「ウクライナとロシアは兄弟民族」などのロシア帝国とソ連時代に使われていた作り話は、今日のロシアのプロパガンダの大事な一部分になり、プーチン大統領の帝国主義的な野望をはっきり示したことになるのです。プーチン大統領の歴史観に関して、ウクライナ人は下記のように考えています。

「ロシアは常に、ウクライナが『国ですらない』と考えています。彼ら（ロシア）はウクライナに屈辱を与えています。タラス・シェフチェンコがこれについてたくさん書きました。彼らは、ウクライナが常にロシアの支配下にあることを望んでいたのです。だから、ウクライナのすべての施設や本などがウクライナ語に切り替わった時、プーチン大統領は大いに反応したのです」（女性、30代、ウクライナ中部出身、ウクライナNPO法人職員）

「ウクライナはレーニンの前からずっと存在していました。ウクライナは、1つ目の国から、2つ目、3つ目の国の手に入っていましたが、どのような国に入ってもウクライナ民族が存在し、ウクライナ語も存在していました。どのような支配下になっても、民族はどうにかして生き残ったのです。民族はいつも存在していたのです。私たち、ウクライナ人はいつも存在します。私たちの言葉を捨てることはできないし、民族の魂をこの世から消し去ることはできないのです」（男性、40代、ウクライナ東部出身、スポーツトレーナー）

「ロシアから見れば、我々は1つの民族、あるいはウクライナは『弟』ですから。そしてロシアは、ウクライナとキーウ・ルーシの歴史がロシアの歴史であると主張しようとしています。しかしそれはまったく真実ではありません。そのため、彼らにとって、キーウ・ルーシがウクライナであり、キーウ・ルーシ領土にあったヨーロッパ文化に関するすべてのものはロシアからではなくウクライナから来ており、ロシアがキーウ・ルーシよりジョチ・ウルスの後継国であるという真実を消し去ることが重要なのです」（女性、40代、ウクライナ中部出身、移住コーチ）

「1つ目、プーチン大統領が昨年、ウクライナとロシアの歴史の一体性と、ウクライナが主権国家ではないことについてのエッセイを発表したこと。そして、ソ連の崩壊を前世紀最大の大惨事と感情的に呼んだことです。2つ目、NATOの拡大に関する話は根拠がなく、正当な理由ではありません。まるで人為的な侵略の言い訳のように見えました。3つ目、過去のロシアの多数の侵略戦争からすると、ウクライナは次の被害者になる根拠がありました」(女性、20代、ウクライナ中部出身、会社員)

(5) ドンバスにいるロシア語話者の保護について

ドンバスにいるロシア語話者、ロシア系の人々を保護するというプーチン大統領が強調したウクライナ侵攻の理由について、すべての回答者は「ただの言い訳」と判断しました。しかし、プーチン大統領がこの戦争でウクライナ人の文化と言語を破壊すること、そして国民的なアイデンティティを消し去ることを実際に望んでいると考えた人は多数だったのです。

「ロシアは、ウクライナの古代の歴史を、事実上持っていないものを、保有しようとしているのです。また、ロシアはウクライナ語の存在を許すことができません。今、ベラルーシ語の存在を脅かしているように、私たちの言語を置き換え、消滅させようとしているのです」(女性、40代、ウクライナ西部出身、タレント)

「私たちは私たちの存在でロシアを激怒させています。過去と現在の禁止令、言語、文化、信仰、私たちのアイデンティティ、考え方など、ウクライナのすべての拒否、否定をしています」(女性、30代、ウクライナ西部出身、専業主婦)

「この戦争には歴史的・文化的・言語的な根拠があります。そのため、何世紀にもわたって、ウクライナ語の消滅を目的とした戦いがあり、そして、ウクライナ寄りの思想と活動で周りに影響を与えウクライナ語を大切にしていたウクライナ人の知識人に対する戦いが行われたのです。ロシアは常にウクライナに関連する歴史的資料を破壊し、ウクライナのすべてを破壊することで、ウクライナの記憶を消し去り、『兄弟民族の愛』、『ウクライナとロシアの歴史的友情と愛』についての作り話に置き換えようとしていました」(女性、40代、ウクライナ東部出身、

教師）

「ロシアよりも発展しているすべてを破壊するためです。ウクライナ人の国民精神、歴史的・文化的な遺産、私たちの言語とアイデンティティを破壊するためです。これは間違いなくジェノサイドです」（女性、30代、ウクライナ東部出身、英語講師）

プーチン大統領はずいぶん前から、ウクライナには正当な国家としての主体性がなく、実質的には最後の9年間のウクライナ政権が「ネオナチ」政権だと主張してきました。すなわち、プーチン大統領はウクライナ人の「解放」が必要だと言っていたのです。

全面的な戦争が始まってから、プーチン大統領は何度も自分の目標や帝国主義的な野望をはっきり語っています。2022年6月29日にスウェーデンとフィンランドがNATOに加盟申請を行った時のプーチン大統領のコメントはあまりにも弱いものでした。

しかし、ウクライナの場合は違っていました。ウクライナはロシアと歴史的に関係が強く、ロシア世界の一部であると説明したのです。プーチン大統領にとって、ウクライナはロシアの歴史・文化・精神世界と不可分の存在と語っています。

また、2022年7月7日にプーチン大統領は議会へのテレビ演説で、「戦場でロシアを倒したいと望むのであれば、試すがよい。ウクライナ人が最後の一人となるまで、西側諸国がロシアと戦いたいということを何度も聞いている。ウクライナ市民にとっては悲劇だが、この方向に向かっているようだ」と強調していました。そして、同年7月9日には「ピョートル大帝は21年間にわたって大北方戦争を展開した。表向きは、ロシアから領土を奪ったスウェーデンとの戦争だった。彼は奪ったのではない、取り返したのだ。そういうことだったのだ」と述べていました（ロイター 2022）。

今回のインタビューの最後の質問は、「ウクライナはロシアによる戦争に勝利できるか」でした。2月と3月以降に起こったロシアの攻撃と悲惨な殺害にもかかわらず、すべての回答者は「はい」と答えたのです。

（6）ウクライナの国民的アイデンティティの強化

東欧にNATOを拡大してはいけないと言ったプーチン大統領の実際の目標は、ウクライナを占領し、ロシアの影響力を拡大することだとウクライナ人は強く思っています。そして、ウクライナ人は、この戦争はウクライナのアイデンティティを持っている人々を殺し、ウクライナ文化を継続できる人をなくし、ウクライナ領土でロシア文化とロシアの価値観を広めることであると恐怖を感じているのです。

現在ウクライナで続いている民間人に対する非人間的な犯罪はスターリン時代の「粛清」と比べられています。ロシアの本音は、ロシア帝国と旧ソ連の地図にあった国々を再び支配する試みを正当化することなのです。

ウクライナ人にとって、2月に開始されたロシア侵攻がウクライナ国家の存亡を懸けた戦いになることは明らかだったとしても、ウクライナ人は降伏するつもりはありませんでした。ウクライナ国民は勝利を信じ徹底抗戦を選んだのです。

たしかに2014年までにウクライナがポストコロニアルの社会の特徴を持ち続けて、「ソビエト・マインド」の人も少なくありませんでした。しかし、プーチン政権がウクライナへの侵攻を決定した時、ウクライナ国民のアイデンティティと抵抗の意志がどれだけ強まるのか、想像できなかったのでしょう。

写真 5-6　2023 年 8 月 24 日に東京にてウクライナ国立記念日を祝う在日ウクライナ人
（写真提供：Kaoru NG）

キーウ国際社会学研究所が実施したウクライナの世論調査によると、2023年6月の時点で84%のウクライナ国民が、平和を達成するためにいかなる領土も譲歩すべきではないと考えています。同研究所の調査結果によれば、ロシアとの領土的妥協に応じないウクライナ人の割合が、2022年3月以降80%を下回っていないことからも明らかになっています。

同時に、過去9年間、自身をロシア人だと考えている人数は徐々に減少しています。ロシアによるウクライナに対する本格的な戦争の勃発に伴い、自らをウクライナ人と考える人数が増え、その割合は92%に達しています。その一方で、自らをロシア人と考える人数の比率は過去最低の5%にとどまっているのです。

さらに、ロシアの侵攻を受けるウクライナで、国民のアイデンティティは「ウクライナ国民であること」と考える比率が2022年7月には過去最高の85%に達したのです。

ウクライナ人の国家レベルでの連帯感の強さは、ロシアの毎日続く攻撃によってウクライナでは多くの民間人と兵士が命を落とし、住宅と生活インフラが破壊

写真5-7 2022年にロシアの攻撃によりハルキウ市で破壊された集合住宅
（写真提供：Stand With Ukraine Japan）

されていることにもつながっています。2023年6月にキーウ国際社会学研究所は、78%のウクライナ国民がロシアの侵攻による負傷や死亡した親戚と友人がいると発表しました。

ウクライナ人は今回の惨禍を経て、あらためて自分たちの出自や歴史、そしてウクライナ国民であることの誇りを胸に刻むことになったのです。

写真 5-8 リヴィウ市の広場に戦死した兵士の写真
（写真提供：ユリアーナ・ロマニウ）

あとがき

ロシアによる本格的なウクライナ戦争が始まってから1年半、2014年にロシアによるウクライナに対するハイブリッド戦争が始まってからから9年、ウクライナ人が初めて独立を宣言した1917～1921年のウクライナ革命から約100年、また1654年の「ペレヤスラウ協定」締結に始まるウクライナとロシアの約400年におよぶ政治・文化の対立の中で執筆し、本書は完成しました。

全世界が注目し続ける2022年におけるロシア軍に対するウクライナ人の激しい抵抗は、ウクライナの話題を世界の主役へと押し上げ、なぜか主にロシアの歴史の一部として考えられてきたウクライナの歴史の再考を迫るものとなりました。

ウクライナ人の結束力は、ロシア占領軍の「3日でキーウを攻略する」ことを阻止し、ウクライナ国民の団結は全世界を驚かせました。ウクライナは、ロシアの独裁と専政に対する民主主義の激しい戦いの象徴であると同時に、世界秩序と世界の安全保障の方針を再考するきっかけとなりました。

残念ながら、何千人ものウクライナの人々の命と、絶え間ないロシアのミサイル攻撃による都市の破壊という何よりの代償を払った戦争によってのみ、抗議するウクライナ社会と何者にも怯まないウクライナ軍に代表されるウクライナ人は、これまでもそしてこれからもロシアの一部になることはないと全世界に向けて堂々と主張することができました。一方、ロシアは自身のテロ行為によって、ウクライナと文明世界全体にとって本質的な脅威となりました。日本においても、ウクライナはもはや遠い国ではなくなりました。

本書の回答者のデータが示すように、ロシア・ウクライナ戦争が始まる前、一般の日本人の目には、ウクライナはその歴史を通して実質的にロシアと同一視されていました。

2022年2月から、ウクライナが日本の新聞の見出しを飾り、ウクライナでの戦争が日本のメディアでもっとも多く取り上げられ話題になりました。ウクライナ人の不屈の精神のきっかけとなった20世紀初頭のウクライナ独立運動、1932年から1933年のホロドモール、スターリンによる弾圧、ロシア帝国とソ連におけるウクライナの言語・文化弾圧の歴史が、初めて日本国内で一般的な話題になったのです。この年に長い歴史のあるウクライナは「領土」としてではなく、「独立国民国家」として認識されました。

この1年半の間で、日本の学者やジャーナリストによるロシア・ウクライナ戦争の経過に関する書籍も相当数出版されました。これらの著作はいずれも、簡潔ながらもロシアではなくウクライナ自身の視点からウクライナの歴史を記述しており、独立した国民国家としてのウクライナを理解することに貢献しました。もちろん、第二次世界大戦後、ヨーロッパ最大の戦争、ヨーロッパ最大の人道危機となったロシア・ウクライナ戦争は、ウクライナ人自身が過去を見つめ直し、国民的アイデンティティを深く認識させることとなりました。

また、その強さが独立した未来を確保するものとなるだろうと思います。何世紀にもわたってウクライナの文化・信仰・言語の独自性を否定し続け、「弟」のようなイメージを世界に押しつけてきたロシアと戦うために、ウクライナ人が武器を取らなければならなくなったのは今回が初めてではありませんが、国家共同体としてのウクライナ人の優先事項を明確に定義したのは2022年の戦争でした。

ロシアによる戦争はウクライナ人の歴史的記憶を変容させ、私たちウクライナの人々にとって自国の歴史を再考することは、この負けられない戦いのための強力な武器となりました。自分たちの歴史を理解することは、未来を切り開く鍵となります。

そして、本書の読者も目にしたであろう2022年のウクライナによる抵抗が示すように、ウクライナ人はロシアの帝国的野心に譲歩するつもりはなく、国家の独立のために戦う覚悟を持っています。ロシアの予想に反して、ロシアとの戦いはウクライナ人の結束を著しく強め、独立と主権のための国家的な解放戦争となりました。

ロシア・ウクライナ戦争は、政治的および軍事的対立だけでないことを強調しておきたいと思います。博物館に対する略奪や砲撃、ウクライナの歴史的人物に関するモニュメントの破壊や破損、さらに新たに占領したウクライナ領におけるすべての学校でのロシア語・ロシア文学・ロシア史の授業の強制導入など、これらはすべて、異なる文明、異なる文化、異なるアイデンティティの間における戦争であることを示しています。

2022年、ウクライナの情報空間に「ラシズム」という言葉が登場しましたが、これは21世紀初頭のロシア支配体制の政治思想を表すもので、ファシズムとの戦いを装って、ロシア帝国と旧ソ連に暮らしていたスラブ民族に対する政治・文化・宗教における強制的なロシア化を目指したものであることは言うまでもありません。

もちろん、本書はウクライナ人のアイデンティティにおける全体像や複雑さをすべて明らかにするものではありません。

しかし、在日ウクライナ人の個人的な物語から、少なくともウクライナ人の生活や文化的価値観がわずかでも明らかになり、現在進行中の戦争の影響を受けながら国民的アイデンティティに対する認識がどのように変化していったかを追うことができると考えています。このようなウクライナ人の物語をきっかけに、一般のウクライナ人が中心となって書かれたウクライナの文化や歴史について、さらに理解を深めていただければと思っています。

物理的な距離があるにもかかわらず、本格的な侵攻が始まった最初の日から、領土の一体性と国家主権を求めるウクライナ人の戦いを積極的に支援し、連帯を示してきたすべての日本の人々に心から感謝の意を表します。

ロシアによるウクライナ侵攻をいち早く非難し、前例のない対ロシア制裁を実施し、数千人のウクライナ人避難民に住居支援を行った日本は、民主主義と自由主義的価値への揺るぎない姿勢を示していると考えています。

【参考文献】

●日本語資料

ウクルインフォルム「キーウ・ルーシの継承国はウクライナ」75%が支持」(2021年7月27日)
https://www.ukrinform.jp/rubric-society/3287626-kiurushino-jicheng-guohaukurainaga-zhi-chi.html

ウクルインフォルム「コンスタンティノープル総主教庁、ウクライナに関するロシア正教会の脅しに返答」(2018年9月14日)https://www.ukrinform.jp/rubric-society/2538188-konsutantinopuru-zong-zhu-jiao-tingukurainani-guansururoshia-zheng-jiao-huino-xieshini-fan-da.html

ウクルインフォルム「トモス概要:全地総主教庁は、ウクライナ正教会に全ての独立の権利を付与」(2019年1月5日)https://www.ukrinform.jp/rubric-society/2614227-tomosu-gai-yao-quan-de-zong-zhu-jiao-tinghaukuraina-zheng-jiao-huini-quanteno-du-lino-quan-liwo-fu-yu.html

ウドヴィク・ヴィオレッタ『日本とウクライナ　二国関係120年の歩み』インターブックス 2022年

エコノミストOnline「私が『キエフはキーウに』と提唱した理由＝中澤英彦」(2022年7月22日)
https://weekly-economist.mainichi.jp/articles/20220715/se1/00m/020/005000d

岡部芳彦『日本・ウクライナ交流史 1915-1937年』神戸学院大学出版会 2021年

岡部芳彦『本当のウクライナ　訪問35回以上、指導者たちと直接会ってわかったこと』2022年

岡部芳彦『マイダン革命はなぜ起こったか―ロシアとEUのはざまで』2016年

倉井高志『世界と日本を目覚めさせたウクライナの「覚悟」』PHP研究所 2022年

黒川祐次『物語　ウクライナの歴史　ヨーロッパ最大の大国』中公新書 2002年

Christian Today「東京で『ウクライナの平和のための祈り』　在日ウクライナ正教会が主催」(2022年5月7日)https://www.christiantoday.co.jp/articles/30662/20220307/prayer-for-peace-of-ukraine.htm

小泉悠『ウクライナ戦争』ちくま新書 2022年

〆木裕子『ウクライナにおける「リードナ・モーヴァ」概念とその解釈』(博士論文)大阪大学　2014年

角茂木『ウクライナ侵攻とロシア正教会』KAWADE夢新書 2022年

スミス・アントニー・D.『ネイションとエスニシティ 歴史社会学的考察』巣山靖司・高城和義他(訳)名古屋大学出版会 1999年

シェフチェンコ・タラス『コブザール シェフチェンコ詩集』藤井悦子(訳)群像社　2018年

ショア・マーシ『ウクライナの夜:革命と侵攻の現代史』池田年穂(訳)岡部芳彦(解説)2022年

Dzyabko, Yuliya「在日ウクライナ人のコミュニティの形成と現状」『茨城キリスト教大学紀要』56号(2022年) p. 31-43

ジャブコ・ユリヤ「在日ウクライナ人の言語意識―ロシアによる戦争の影響をめぐる考察―」『ことばと社会』25号(2023年) p. 234-243

田上雄太 「ウクライナにおける言論の自由」『出版研究』48巻(2017年) p. 23-45

鶴岡路人『欧州戦争としてウクライナ侵攻』新潮社 2023年

中井和夫『ウクライナ語入門』大学書林 1991年

中井和夫『ウクライナ・ナショナリズム　独立のディレンマ』東京大学出版 1998年

中澤英彦『ニューエクスプレスプラス　ウクライナ語』白水社 2009年

日本学生支援機構「ウクライナの学生への支援を実施している大学」(2023年 4月 1日)

https://www.studyinjapan.go.jp/ja/planning/search-school/daigakukensaku/ukraine-u/post-1.html

日本財団「日本財団ウクライナ避難民支援」https://www.nippon-foundation.or.jp/what/projects/support_ukraine (2022年 8月 1日)

服部倫卓、原田義也(編)『ウクライナを知るための 65章』明石書店 2018年

原田義也「現代のマドンナは何を祈るか－リーナ・コステンコの詩的世界－」『明治大学国際日本学研究』10(1) 号(2017年)

東野篤子「ロシアによるウクライナ侵攻は欧州に何を問うたか」『外交』77号 (2023年) p.85-91

東野篤子「ロシアによるウクライナ侵攻: 停戦・戦争終結を巡る諸問題とウクライナの認識の変遷」『ユーラシア研究』67号(2023年) p. 9-14

平野高志『ウクライナ・ファンブック　東スラヴの源泉 中東欧の穴場国 』パブリブ 2020年

保坂三四郎「ドンバス戦争はウクライナの「内戦」か？:「戦闘の大半」を担う主体の推定に基づく考察」『神戸学院大学経済学論集』51 (3)号(2019年) p. 79-100

保坂三四郎『諜報国家ロシア -ソ連 KGBからプーチンの FSB体制まで 』中公新書 2023年

法務省「在留外国人統計」https://www.moj.go.jp/isa/policies/statistics/toukei_ichiran_touroku.html (参照 2023.10.15)

細谷雄一(編)『ウクライナ戦争とヨーロッパ』東京大学出版会 2023年

法務省「ウクライナ避難民に関する情報」https://www.moj.go.jp/isa/publications/materials/01_00234.html (参照 2023.10.15)

文部科学省「留学生政策をめぐる現状と施策」(2022年 7月 1日)

読売新聞「ウクライナ学生、想定外の避難長期化…迫る在学期限・就職支援ノウハウなし」
https://www.yomiuri.co.jp/national/20230305-OYT1T50013/3/（参照 2023.03.15）
ロイター「西側諸国、戦場でロシア倒したいなら「試すがよい」＝プーチン氏」（2022年7月7日）https://jp.reuters.com/article/ukraine-crisis-russia-putin-idJPKBN2OI1T8

●英語資料

Appeblaum, Anne, *Red Famine: Stalin's war on Ukraine*, Knopf Doubleday Publishing Group, 2017.

Besters-Dilger, Juliane (ed.), *Language policy and language situation in Ukraine. Analysis and recommendations*, Frankfurt am Main: Peter Lang Internationaler Verlag der Wissenschaften, 2009.

Bilaniuk, Laada, *Contested tongues: Language politics and cultural correction in Ukraine.* Ithaca: Cornell University Press, 2005.

Bilaniuk, Laada, "The trajectory of language laws in Ukraine: Inclusions and omissions in naming and categorization since 1989," *Acta Slavica Iaponica*, 43, 2020, pp. 49-70.

Clark, Elizabeth A. and Dmytro Vovk (eds.), *Religion During the Russian Ukrainian Conflict*, London: Routledge, 2019.

Dzyabko, Yuliya and Olha Kvasnytsia, "Language, religion and national identity of Ukrainian people living in Japan," *Journal of Ibaraki Christian University*, 54, 2020, pp. 51-65.

Euromaidan Press, "Tymothy Snyder: Putin's essay on Ukraine creates mythical history to cover foreign political failures", 2021.08.12, https://euromaidanpress.com/2021/12/08/timothy-snyder-putins-essay-on-ukraine-creates-mythical-history-to-cover-foreign-policy-failures/.

Financial Times, "Serhii Plokhy: Putin's imperialist narrative is 'being crushed'", 2022.07.01, https://www.ft.com/content/05bdabc8-e027-4600-a20e-aaad1d6c2f2d.

Flier, Michael and Andrea Graiozi (eds.), *The Battle for Ukrainian: Comparative Research*, Harvard Ukrainian Research Institute, 2017.

Fukuyama, Francis, *Identity: The Demand for Dignity and the Politics of Resentment*. Farrar, Straus, and Giroux, 2018.

Hrushevsky, Mykhailo. *Istoriia Ukrainy-Rusy*. Lviv, 1898-1937.

Hrushevsky, Mykhailo, *History of Ukraine.* N.P.: Archon Books, 1970.

Gaufman, Elizaveta, "Come all ye faithful to the Russian World in Religion during the Russian-

Ukrainian conflict," In E. A. Clark, & D. Vovk (Eds.), *Religion During the Russian Ukrainian Conflict*, pp. 54-68, London: Routledge, 2019.

IRI. *Public opinion survey residents of Ukraine (March 14-26, 2014)*, https://www.iri.org/wp-content/uploads/2014/04/201420April20520IRI20Public20Opinion20Survey20of20Ukraine2C20March2014-262C202014.pdf.

Gudziak, Borys, *Crisis and reform: The Kyivan Metropolitanate, the Patriarchate of Constantinople, and the Genesis of the Union of Brest*, Harvard University Press, 1998.

Kulyk, Volodymy, "Language identity, linguistic diversity and political cleavages: evidence from Ukraine," *Nations and nationalism*,Vol. 17 (3), 2011, pp. 627-648.

Kulyk, Volodymyr, "Identity in transformation: Russian-speakers in post-Soviet Ukraine," *In The Russian-speaking populaiton in the Post-Soviet Space*. London: Routledge, 2021.

Kuzio, Taras, *Crisis in Russian Studies? Nationalism (Imperialism), Racism and War.* E-.International Relations Publishing, 2020.

Magosci P1aul Robert. (1996), *A history of Ukraine. Toronto*: University of Toronto Press,1996

Ministry of Foreign Affairs, Japan, *The Recent Actions Japan Has Taken to Combat TIP* 2008 https://www.mofa.go.jp/policy/i_crime/people/action0508.html.

Pavlenko, Aneta (ed.). *Multilingualism in Post-soviet countries.* Clevedon: Multilingual Matters, 2008.

Pavlyi, Bogdan, "What languages do Ukrainians in Japan prioritize in daily life?" *Мова і суспільство,* 10, 2019, pp. 91-108.

Pavlyi, Bogdan, "Bilinguals and multilinguals in a foreign language environment: A case study on the language use of Ukrainians in Japan," *SKASE Journal of Theoretical Linguistics*, 17 (3), 2020, pp. 78-92.

Plokhy, Serhyi, *The Gates of Europe. A history of Ukraine*, London and New York: Allen Lane and Basic Books, 2015.

Plokhy, Serhyi, *The last empire: The final days of the Soviet Union*, New York: Basic Books, 2014.

Plokhy, Serhyi, *The Russo-Ukrainian War*, New York: Allen Lane, 2023.

Prostir Svobody, "The state of the Ukrainian language in Ukraine in 2014-2015", 2015, https://prostirsvobody.org/news/0/518/ .

Reuters, "Orthodox Church leader says Russian soldiers dying in Ukraine will be cleansed of sin",

2022.09.26,https://www.reuters.com/world/europe/orthodox-church-leader-says-russian-soldiers-dying-ukraine-will-be-cleansed-sin-2022-09-26/.

Seals, Corinne A., *Choosing mother tongue: The Politics of Language and Identity in Ukraine.* Bristol: Multilingual Matters, 2019.

Shevelov, George Y., *The Ukrainian Language in the first half of the twentieth century (1900-1941): Its state and status*, Harvard Univeristy Press, 1989.

Smith, Anthony, War and Etnicity: The role of warfare in the formation, self-images, and cohesion of ethnic communities. *Ethnic and Racial Studies*,Vol. 4(4), 1981, pp. 375-397.

Smith, Michael G., *Language and power in the creation of the USSR, 1917-1953*, New York: Mouton de Gruyter, 1998.

Snyder, Timothy, *The road to unfreedom: Russia, Europe, America*, New York: Tim Duggan Books, 2018.

State Statistics Committee of Ukraine, *All Ukrainian Population Census*, 2001, http://2001.ukrcensus.gov.ua/results.

Strausz, Michel, "International Pressure and Domestic Precedent: Japan's Resettlement of Indochinese Refugees", *Asian Jouranl of Political Science*, 20 (3), 2012, pp. 244-266.

Subtelny, Orest, *Ukraine. A History*. Toronto: University of Toronto Press, 1988, 1994, 2000, 2009.

Krawchuk, Andrii, "2013: St. Jude Ukrainian Orthodox Mission founded in Tokyo", *The Ukrainian Weekly*, 2014.01.12, http://www.ukrweekly.com/uwwp/st-jude-ukrainian-orthodox-mission-founded-in-tokyo/.

Ukrinform, "About 400 UOC-MP parishes joined Orthodox Church in Ukraine", 2019.04.30, https://www.ukrinform.net/rubric-society/2651057-about-400-uocmp-parishes-joined-orthodox-church-of-ukraine-epiphanius.html.

UNHCR, *Convention relating to the status of refugees*, https://www.unhcr.org/3b66c2aa10.html.

UNHCR, *Who are refugees?* https://www.unhcr.org/ua/en/refugees-asylum-seekers.

UNCHR, *Ukraine Refugee Situation*, https://data.unhcr.org/en/situations/ukraine.

●ウクライナ語資料

Агеєва, Віра, *За лаштунками імперії. Есеї про українсько-російські культурні відносини*, Київ: Видавництво Віхола, 2021.

Ажнюк, Богдан, *Мовна єдність нації: діаспора й Україна*, Київ : Рідна мова, 1999.

Брага, Ірина, "Українсько-російський суржик в соціокомунікативній ситуації ринку," *Мова і суспільство*, за ред. М. Галини, Випуск 2, 2011, с. 119-126.

Верховна Рада України, *Закон України «Про засади державної мовної політики»*, Закон від 03.07.2012 №5029-VI, https://zakon.rada.gov.ua/laws/show/5029-17#Text.

Верховна Рада України, *Конституція України*, Стаття 10, 1996, https://zakon.rada.gov.ua/laws/show/254к/96-вр#Text.

Верховна Рада України, *Закон України «Про забезпечення функціонування української мови»*, Закон від 25.04.2019 № 2704-VII, https://zakon.rada.gov.ua/laws/show/2704-19#Text.

Вишняк, Олександр, *Мовна ситуація та статус мов в Україні: динаміка, проблеми, перспективи (соціологічний аналіз)*. Київ: Інститут соціології НАН України, 2009.

Гонтарук, Лариса, "Опозиція «сильний» – «слабкий» у міжкультурній комунікації XIV – першої половини XVII ст. (на матеріалі української та російської мов)," *Мова і суспільство*, за ред. М. Галини, Випуск 5, 2014, с. 54-62.

Данилевська, Оксана, *Мовна ситуація в українській шкільній освіті на початку XXI століття: соціолінгвістичні нариси*, Київ: Видавництво "Києво-Могилянська академія", 2019.

Дзябко, Юлія і Ольга Квасниця, "Українсько-японські відносини в незалежній Україні," *День*, 2021.08.12, https://m.day.kyiv.ua/article/den-planety/ukrayinsko-yaponski-vidnosyny-v-nezalezhniy-ukrayini-yak-use-pochynalosya-i.

Дуда, Леся, *Лінгвоцид української мови: право на вбивство*, 2022.06.23, https://www.youtube.com/watch?v=-DfI86gcmVc.

Енциклопедія українознавства: в 2 т., Ред. В. Кубійович, З. Кузеля, Наукове товариство ім. Шевченка. Мюнхен, Нью-Йорк: В-во «Молоде Життя», 1949.

Забужко, Оксана, *Планета полин. Вибрані Есеї*, Київ: Комора, 2020.

Івшина, Лариса (ред.), *Корона або Спадщина Королівства Руського*, Українська прес-група, 2017.

Квасниця, Ольга і Юлія Дзябко, "Без української Церкви України могло й не бути сьогодні," *День*, 2020.07.09, https://day.kyiv.ua/uk/article/cuspilstvo/bez-ukrayinskoyi-cerkvy-ukrayiny-moglo-y-ne-buty-sogodni-11.

Квасниця, Ольга і Юлія Дзябко, "Українське культуртрегерство в Японії," *День*, 2020.04.03, https://day.kyiv.ua/uk/article/cuspilstvo/ukrayinske-kulturtregerstvo-v-yaponiyi.

Київський міжнародний інститут соціології, "Динаміка готовності до територіальних поступок для якнайшвидшого завершення війни: результати телефонного опитування, проведеного 26 травня – 5 червня 2023 року", 2023.06.29, https://www.kiis.com.ua/?lang=ukr&cat=reports&id=1242&page=3.

Київський міжнародний інститут соціології, "Скільки українців мають близьких, родичів та друзів, які були поранені/ загинули через російське вторгнення: результати телефонного опитування, проведеного 26 травня – 5 червня 2023 року", 2023.06.29, https://www.kiis.com.ua/?lang=ukr&cat=reports&id=1254&page=1.

Луканська, Анна, "Національна ідентичність – це ключове питання для суспільства," *Голос України*, 2021.08.19, http://www.golos.com.ua/article/350002.

Масенко, Лариса (а), *Конфлікт мов та ідентичностей у пострадянській Україні*, Київ: Кліо, 2020.

Масенко, Лариса (б), "Мовна ситуація в Україні з погляду соціолінгвістів," *Диво*, 10, 2020.

Масенко, Лариса, "Парадокси двомовности," *Zbruc*, 2021.08.18, https://zbruc.eu/node/105846.

Масенко, Лариса (ред.), Українська мова у XX сторіччі: історія лінгвоциду. Документи і матеріали, Київ: Видавничий дім «Києво-могилянська академія», 2005.

Масенко, Лариса, "Як політики СРСР змінювали українську мову," *Куншт*, 2022.04.07, https://kunsht.com.ua/articles/yak-politiki-srsr-zminyuvali-ukrainsku-movu

Мацюк, Галина (гол. ред.), *Мова і суспільство*, Випуск 1-10, 2010-2019.

Мацюк, Галина, *Прикладна соціолінгвістика. Питання мовної політики. Навчальний посібник*. Львів: Видавничий центр Львівського національного університету імені Івана Франка, 2009.

Мозер, Міхаель, *Причинки до історії української мови*, Вінниця: Нова книга, 2011.

Огієнко, Іван, *Наука про рідномовні обов'язки*, Львів: Фенікс, 1995.

Соціологічна група Рейтинг, "Десяте загальнонаціональне опитування: ідеологічні маркери війни (27 квітня 2022)", 2022.05.03, https://ratinggroup.ua/research/ukraine/desyatyy_obschenacionalnyy_opros_ideologicheskie_markery_voyny_27_aprelya_2022.html.

Соціологічна група Рейтинг, "Шосте загальнонаціональне опитування: мовне питання в Україні (19 березня 2022)", 2022.03.25, https://ratinggroup.ua/research/ukraine/language_issue_in_ukraine_march_19th_2022.html.

Степовик, Дмитро, *Релігії світу*, Київ: ПБП Фотовідеосервіс, 1993.

Тесленко, Ліна, "Скільки воїнів загинуло в Іловайському оточенні: відоме точне число й імена," *Історична правда*, 2019.08.28, https://www.istpravda.com.ua/articles/2019/08/29/156158/.

Фудерер, Тетяна, *Українська мова як цінність: поколіннєвий аспект*, Київ: Арт Економі, 2020.

Центр Разумкова, "Особливості релігійного і церковно-релігійно самовизначення українських громадян: тенденції 2010-2018 років)", 2022.04.22, http://razumkov.org.ua/uploads/article/2018_Religiya.pdf.

Шевельов, Юрій, *З історії незакінченої війни*, Київ: Видавничий дім «Києво-Могилянська академія», 2009.

Шевчук, Юрій, *Мовна шизофренія*. Quo vadis, Україно?, Брустури: Дискурс, 2015.

Ясь, Олексій, "Мала Русь," *Енциклопедія історії України: Т. 6: Ла-Мі*, редкол.: В. А. Смолій (голова) та ін. НАН України. Інститут історії України. Київ: Наукова думка, 2009, http://resource.history.org.ua/cgi-bin/eiu/history.exe?&I21DBN=EIU&P21DBN=EIU&S21STN=1&S21REF=10&S21FMT=eiu_all&C21COM=S&S21CNR=20&S21P01=0&S21P02=0&S21P03=TRN=&S21COLORTERMS=0&S21STR=mala_rus.

●ロシア語資料

Бондаренко, Иван, *Русско-японские языковые взаимосвязи XVIII века: историко-лингвистическое* исследование, Одесса: Астропринт, 2000.

Голубицкий, В. Л., "Переяславская рада 1654," *Большая советская энциклопедия*, 1962, https://slovar.cc/enc/bse/2028557.html.

●付録【調査協力者のプロフィール】

#	性　別	年　齢	ウクライナ出身地域	来日年	就　業
U1	女	30代	中部	2011	ウクライナNPO法人職員
U2	男	10代	中部	2011	会社員（引越し業界）
U3	女	30代	東部	2008	専業主婦
U4	女	30代	中部	2009	ウクライナNPO法人職員
U5	女	50代	中部	1993	教師
U6	女	20代	中部	1993	会社員（マーケティング業界）
U7	女	40代	東部	2004	専業主婦
U8	女	40代	西部	2004	タレント
U9	女	30代	中部	2006	芸術監督
U10	女	30代	中部	2005	音楽家
U11	女	40代	東部	2004	教師
U12	女	40代	東部	1996	通訳者・翻訳者
U13	女	30代	西部	2016	専業主婦
U14	女	30代	中部	2015	専業主婦
U15	男	30代	中部	2011	英語講師
U16	女	30代	西部	2013	大学教員、研究者
U17	男	30代	西部	2015	音楽プロデューサー
U18	女	30代	東部	2009	会社員（販売業界）
U19	男	20代	西部	2015	会社員（IT業界）
U20	女	40代	東部	2010	教師
U21	女	30代	西部	2007	専業主婦
U22	男	30代	西部	2006	会社員（金融業界）
U23	男	20代	東部	2010	専業主夫
U24	女	20代	西部	2010	会社員（HR業界）
U25	女	30代	中部	2011	会社員（マーケティング業界）
U26	男	30代	中部	2007	大学教員、研究者
U27	男	50代	東部	2002	翻訳者・編集者
U28	女	20代	南部	2017	会社員（コンサルタント業界）
U29	女	30代	中部	2011	専業主婦
U30	男	20代	南部	2017	大学院生
U31	女	20代	中部	2017	会社員（IT業界）
U32	女	30代	中部	2010	自営業
U33	女	20代	中部	2014	大学院生
U34	男	20代	中部	2018	会社員（IT業界）
U35	男	30代	中部	2013	政治評論家

（次頁つづく）

●付録【調査協力者のプロフィール】（つづき）

＃	性 別	年 齢	ウクライナ出身地域	来日年	就 業
U36	女	30代	東部	2020	英語講師
U37	女	40代	東部	2005	音楽家
U38	男	40代	東部	2009	スポーツトレーナー
U39	女	40代	西部	2003	介護福祉士
U40	女	40代	南部	2006	エステティシャン
U41	女	40代	中部	2008	移住コーチ
U42	男	40代	中部	2008	研究者・取材現在ウクライナ軍の兵士
U43	女	30代	西部	2013	英語講師
U44	女	20代	西部	2015	会社員（航空業界）
U45	女	40代	西部	2006	英語講師
U46	女	30代	中部	2009	研究者
U47	女	30代	東部	2014	溶接工

■著者紹介

ユリヤ・ジャブコ（Yuliya Dzyabko, Юлія Дзябко）

ウクライナのリヴィウ市生まれ。イヴァン・フランコ記念リヴィウ国立大学で日本語学及び英語学を学び、同大大学院にて言語学博士号（2016）を取得。
2006年に交換留学生として初来日。
2012～2014年、山口大学にて日本政府（文部科学省）奨学金留学研究生として研究活動。
2016年から茨城キリスト教大学文学部講師。
専門は対照言語学、社会言語学。現在、在日外国人の文化的アイデンティティを中心に研究している。
2023年、ウクライナ研究会賞（研究奨励賞）

〈著作〉

日本語・ウクライナ語社会言語学辞典
「言語政策」のターミノロジカル・フィールド
イヴァン・フランコ記念リヴィウ国立大学出版（2019年）

日本が知らないウクライナ
―歴史からひもとくアイデンティティ―

2023年12月8日　初版第1刷発行

■著　　者――ユリヤ・ジャブコ
■発 行 者――佐藤　守
■発 行 所――株式会社 **大学教育出版**
〒700-0953 岡山市南区西市855-4
電話（086）244-1268(代)　FAX（086）246-0294
■印刷製本――モリモト印刷㈱

本書に関するご意見・ご感想を右記サイトまでお寄せください。

ISBN978－4－86692－275－1